小説 弱虫《よわむし》ペダル

15

原作
渡辺航
ノベライズ
輔老心

岩崎書店

弱虫ペダル⑮ 目次

登場人物《とうじょうじんぶつ》

今泉俊輔《いまいずみしゅんすけ》

自転車競技《きょうぎ》に命をかける、毎日ストイックに走り続ける高校一年生。中学時代は県内《けんない》でも有名なレーサーだった。坂道の走りに関心《かんしん》を持っている。

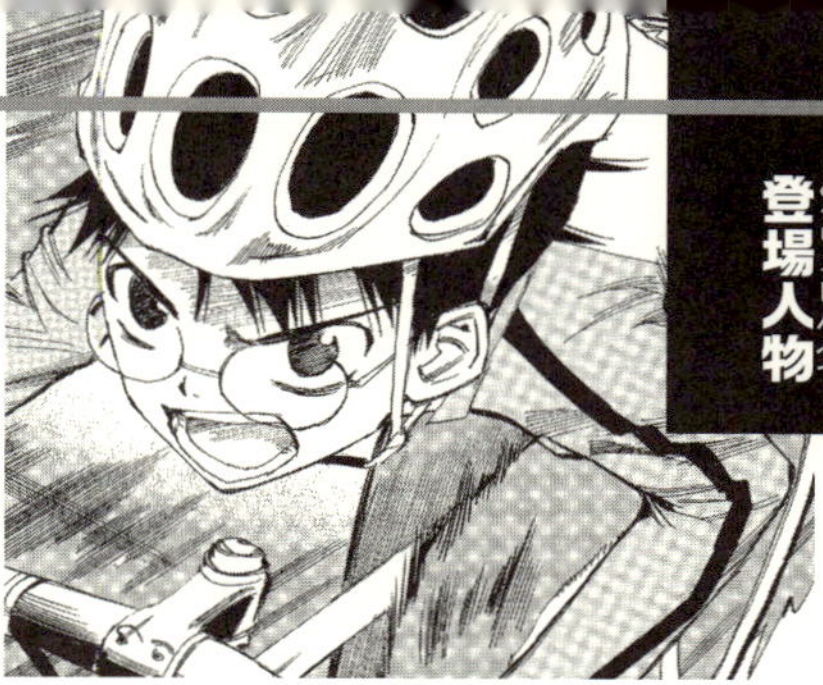

小野田坂道《おのださかみち》

ママチャリで往復《おうふく》九十キロの秋葉原《あきはばら》への道のりを毎週欠《か》かさず通う高校一年生。自転車に自分の可能性《かのうせい》があるなら、と千葉県一《ちばけんいち》強い自転車競技部《きょうぎぶ》に入部する。

鳴子章吉《なるこしょうきち》

自転車と友だちを大事にする関西《かんさい》出身のレーサー。浪速《なにわ》のスピードマンの異名《いみょう》を持つ高校一年生。坂道のよきアドバイザーでもある。

総北《そうほく》高校自転車競技部《きょうぎぶ》 三年生

主将《しゅしょう》

金城真護《きんじょうしんご》

田所 迅《たどころ じん》

巻島裕介《まきしまゆうすけ》

箱根学園《はこねがくえん》自転車部

新開隼人《しんかいはやと》

主将《しゅしょう》

福富寿一《ふくとみじゅいち》

真波山岳《まなみさんがく》

泉田塔一郎《いずみだとういちろう》

東堂尽八《とうどうじんぱち》

荒北靖友《あらきたやすとも》

京都伏見《きょうとふしみ》高等学校

御堂筋 翔《みどうすじ あきら》

石垣光太郎《いしがきこうたろう》

前回までのあらすじ

全国の高校自転車部《こうこうじてんしゃぶ》が栄冠《えいかん》を目指す真夏のレース「インターハイ」は、いよいよ勝者が決まる最終《さいしゅう》三日目だ。後方《こうほう》から先頭集団《せんとうしゅうだん》に合流した御堂筋翔《みどうすじあきら》（京都伏見《きょうとふしみ》）を加えて、優勝《ゆうしょう》をねらう先頭集団は五人になった。さっそく、御堂筋は先頭をいく今泉俊輔《いまいずみしゅんすけ》（千葉《ちば》・総北《そうほく》）におそいかかる。中学時代から因縁《いんねん》がある二人のバトルは、山頂《さんちょう》ゴールへ向かう「富士《ふじ》あざみライン」をあつくさせる。この激闘《げきとう》で今泉の自転車のフレームに、なんとヒビが入った。全《ぜん》能力《のうりょく》を出せない今泉だがこのバトルに勝利《しょうり》し、御堂筋は無念《むねん》のリタイアとなった。そのスキをねらっていたのが、前年度王者の神奈川代表《かながわだいひょう》・箱根学園《はこねがくえん》だ。主将《しゅしょう》の福富寿一《ふくとみじゅいち》はすぐさま、〝かくし球《だま》〟真波山岳《まなみさんがく》にアタック指令《しれい》をくだす。自転車故障《こしょう》の今泉をぬいてレースのトップに立った真波がレース勝利に向けて独走《どくそう》かと思われたとき、今泉は最後《さいご》の決断《けつだん》をくだす。総北の初優勝に向けて、小野田坂道《おのださかみち》にすべてをたくし、真波を追わせる……が……!?

はじまる前に

この巻《かん》では、インターハイのレース最終日（三日目）、ゴールまであとわずか二・五キロの場面から始まります。本作での自転車の高校日本一を決めるインターハイの流れは、

・レースは三日間かけて行われる。
・毎日、朝にスタートして夕方前にゴールする。
・一日目は、江ノ島から百二十台がいっせいにスタート。
・次の日からは、前日のタイム差の順に、秒数をあけてスタート。
・とちゅうでこけて、ケガをして走れなくなったらリタイアになる。
・三日目の最後のゴールでトップだった選手の学校が総合優勝《そうごうゆうしょう》。
・この巻のはじまるところで、優勝ゴールをねらうのは「真波山岳」と「小野田坂道」。

これらを頭のかたすみにおいておけば、インターハイがよりたのしめるよ。

本書は、秋田書店刊の『弱虫ペダル』をもとに小説化したものです。文章化するにあたり、台詞など一部改めています。

第一章　登れ、坂道!!

手のひら

「登れ、小野田坂道《おのださかみち》！」

今泉俊輔《いまいずみしゅんすけ》はそうさけぶと同時に、坂道の背《せ》を手のひらでグイッとおした。

ジャ　ゴッ　バン

今泉の声にはじかれるように坂道はすばやくギアチェンジした。

「わかった。うん、登るよ、今泉くん‼」

速度《そくど》を上げようとする坂道に、今泉は、

「その背中《せなか》のジャージには、オレたち全員分の意思《いし》がこめられてる!!」

とさけんだ。

坂道は、今泉の手のひらのぬくもりに、巻島祐介《まきしまゆうすけ》や田所迅《たどころじん》、金城真護《きんじょうしんご》、鳴子章吉《なるこしょうきち》のあたたかさも重ねてそうぞうした。

みんながボクの背をおしている!!

ゴールラインをめざして登る力が、背中から体の中へと入ってくるのを感じた。
「うん!!」
坂道は力強くもう一度返事をすると、ペダルをふみこんだ。
ライバルはただ一人。坂道の目には、前を走るブルーのジャージ、白い自転車の真波山岳《まなみさんがく》が見えている。

真波《まなみ》くんと闘《たたか》う！
総北《そうほく》の選手《せんしゅ》は、もうぼく
一人になってしまった……!!

富士山《ふじさん》五合目《ごごうめ》、須走口《すばしりぐち》の最終《さいしゅう》ゴールを目《め》指《ざ》してレースはついに動いた。頂上《ちょうじょう》ゴールを目指して激坂《げきざか》の最終《さいしゅう》バトルが始まったのだ。

沿道《えんどう》のファンが、

「ついに、箱根学園《ハコガク》は6番が一人飛び出した！」

大事なシーンを目の前で見たからか、こうふんした声でわいている。

「それに反応《はんのう》して総北も一人、出た。先頭は二人!!」

「残り、最終《さいしゅう》ゴールまで、残り二・五キロだぞ!!!」

トップを行く真波を追いかける坂道は、

ハァ　ハァ　ハァ　ハァ　ハァ　ハァ

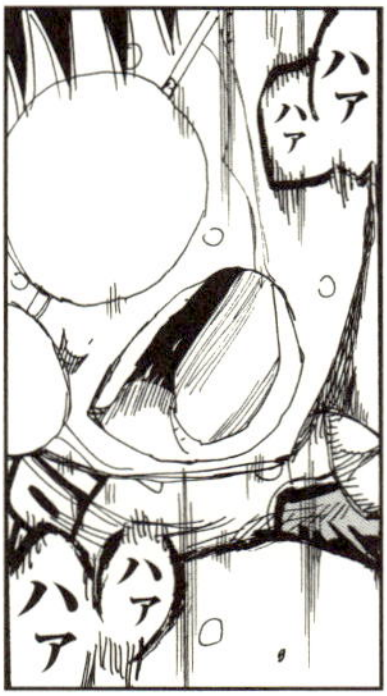

だんだん息《いき》がはげしくなってきた。ペダルをふむひざがブルブルとふるえていた。そのふるえはとまらず、こしに伝わって、やがて、おなかや背中《せなか》までふるえてきた。こんなことははじめてだった。

「とまれ！　とまれ、ふるえ、とまれ！」

と思わずさけんだ。

むしゃぶるいがしていた。心がはやっている。心臓《しんぞう》がはやがね※のように打《う》って、体がふるえていた。

坂道は、黄色いジャージのおなかのあたりをぎゅーっとにぎった。

そうすると、少しおちついてきた。

※はやがね…はげしく打《う》ちならすかね

息《いき》を整えながら、追撃体勢《ついげきたいせい》をとる。

「……なみくん、真波《まなみ》くん……」

と、よびかけてみた。

小さな声に反応《はんのう》して、真波がゆっくりふり返ると、坂道がむねをはって、グッと顔をあげているのが見えた。

そして坂道が、

「ボクはキミをぬいて、ゴールをとる‼」

と、目をつり上げて言うのが見えた。


真波は坂道が追ってきたことにおどろいた。

そして坂道の目の強さにゾクッとした。だけど、真波の目のおくが、坂道のエネルギーをはね返すようにギラっと光った。

真波は、口を開いた。

「因果《いんが》……運命……」

真波のあせのつぶが、前から飛んできて坂道の顔にあたった。二人の差《さ》は、それくらいのきょりだ。

真波は話を続《つづ》ける。

「……じつはさ、オレ、ここまで坂道くんが追いかけてくるなんて予想《よそう》してなかった。

だってここ、先頭《トップ》だよ。インターハイの三日目だ。こんなところでキミと闘《たたか》うなんて」

そう話し始めた、ちょうどそのとき、沿道《えんどう》の両サイドから、大きなせいえんがおしよせてきた。

「ハコガクゥー‼」

「ソーホク‼」

「いけー‼!」

歓声《かんせい》は、まるで水しぶきのように、二人の選手《せんしゅ》にふってきた。

見物客は、この二台のうち、どちらかが優勝《ゆうしょう》することをわかっている。勝利《しょうり》の栄冠《えいかん》は、もう二台にしぼられた。

坂道は、ハァ、ハァとあらい息《いき》でペダルをふみながら、横目で観客《かんきゃく》の顔をチラリと見た。

このレースがスタートして、三日目にしてはじめて、沿道《えんどう》の人たちの顔をはっきりと意識《いしき》した。

ファンがみんな、手でメガホンを作って、大声で、「ハコガク」「ソーホク」の名をさけんでいる。それに気づいて、坂道は急に背中《せなか》がゾクゾクっとした。

「どうだい、坂道くん」

「……!!」

「これだからやめられないんだ。ロードレースは!!」

と、坂道の心を読んだかのように、真波《まなみ》が言った。

「坂道くんとはじめて会った日のことをおぼえているよ」

坂道は、じごくの静岡合宿《しずおかがっしゅく》の日を思い出した。真波とはじめて会ったのは〝あのとき〟だ。

「あの日のボクは、総北《そうほく》のかみの長いクライマーのていさつをしてこいとせんぱいに言われたんだ、三年生の」

あ、巻島《まきしま》さんのことだ！

と坂道は思った。真波は総北の戦力をていさつにきた。そのときの箱根学園《はこねがくえん》は、巻島をマークしていたのだ。

「けど、出会ったのはキミだった。ぐうぜんだね。あの日からこうなることは決まっていたのかもしれないね」

そう言うと真波は、ジャージの首のところを手でグイッとのばして顔のあせをぐるりとふいた。

真波はキラキラしたまなざしで、

「坂道くん、走ろう」

と坂道を見つめた。
「オレもゴールは決してゆずらないよ。きたね、〝やくそくのとき〟だ」

あの日のやくそく……。

坂道は思い出そうとした。

インターハイ出場メンバーを決めるための静岡合宿《しずおかがっしゅく》の初日《しょにち》※——。
総北高校《そうほくこうこう》自転車部《じてんしゃぶ》のメンバーを乗せてサイクルスポーツパークに向かうバスで車よいをした坂道は、一人だけバスをとちゅうでおりた。そして、ひと休みして、自動はんばい機でのみものを買おうとしたら、さいふはバスの中。とほうにくれていたときに、自転車で通りがかった少年が真波《まなみ》だった。真波が自転車につんでいたドリンクをのませてくれて、坂道は助かった。坂道は、そのボトルをあずかることになった。

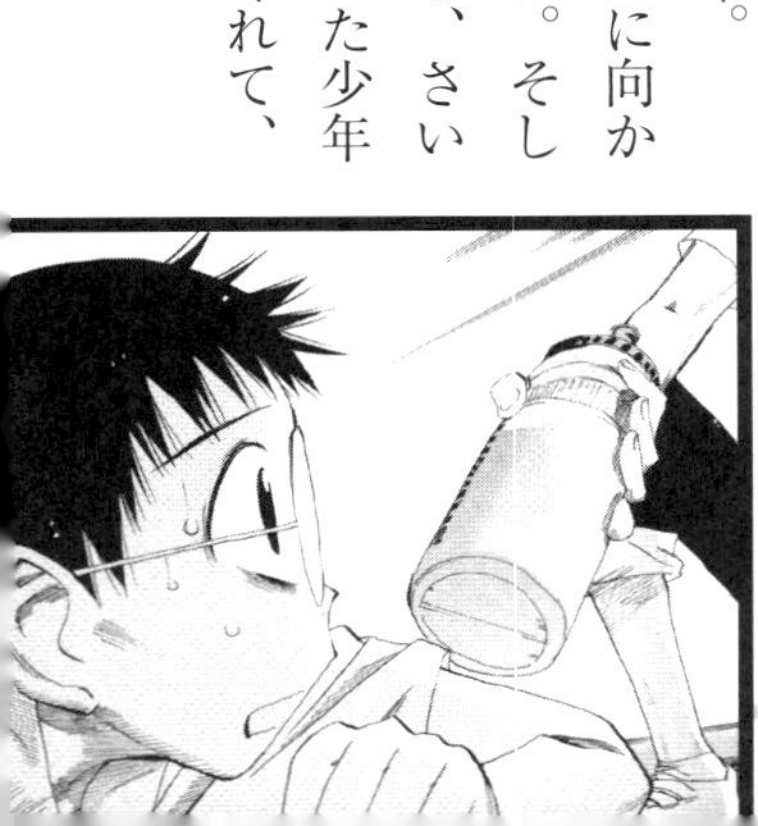

※初日…小説版 弱虫ペダル第２巻参照

その数日後——。二人は今度はコース上で出会い、上り坂で競走した。坂道は追いつけなかった。

勝った真波が、「今年の夏、インターハイで待ってるから。やくそくだよ～」と坂道に言ったのだった。

そうだ、そうだった。あそこが始まりだったんだ。

あのときは、初心者《しょしんしゃ》の坂道にはインターハイなんて遠い世界だと思ってた。あれは……二カ月ほど前のことだ。坂道は、はるか昔のことに思えた。

坂道はふとわれにかえった。すぐそばに真波の白い自転車が見える。

本番のレースでは、坂道の自転車が真波を少しずつ追いつめているところだ。富士山《ふじさん》を登る坂はますます急になっていくが、あの日とちがって、坂道は何倍《なんばい》も強くなっている。

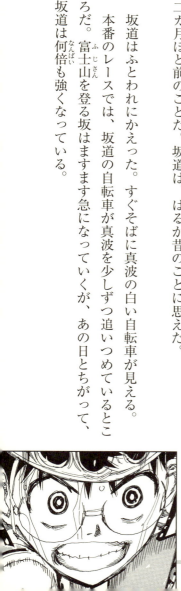

ようし!!!

ぐるぐるぐるぐるぐる

坂道はさらにもうれつに
ペダルをふみはじめた。

ぬく。真波《まなみ》くんをぬく。
坂道は、思うぞんぶんペダルをふんだ。

回れ　回れ　回れ　ペダルよ　回れ

総北《そうほく》のみんなのために!!
回れぇぇぇ!!

今泉《いまいずみ》のほほえみ

ふぅ　ふぅ　ふぅ　ふぅ

ギシッ　ギシッ　ギシッ　ギシッ

今泉《いまいずみ》は、小さく息《いき》を整えながら坂を登っていた。こぐたびに自転車から異音《いおん》がしている。坂道と真波の背中《せなか》はもう見えない。行ってしまった。もう優勝《ゆうしょう》はできない。今泉はずいぶんとペースダウンしてレース三番手を走っていた。

ヤバイ。フレームが割れたせいで、そうとうな力がにげている……。

御堂筋《みどうすじ》との闘《たたか》いでトルクをかけすぎた。

もってくれよ、ゴールまで……。

てか、なにわらってんだ、オレ……。

今泉《いまいずみ》はふと、レースがおわったわけではないのに、自分がほほえみながらこいでいることに気がついた。今のじょうきょうと、顔の表情《ひょうじょう》があっていない。

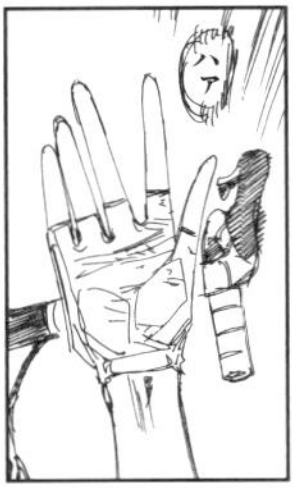

そうか……そうかもな……。

急にふにおちた。さっき自分の力を、坂道にバトンタッチした。すべてを坂道にあずけると、自然《しぜん》とほほえみがうかんできたのだった。やがて、

「総北《そうほく》！　今泉!!」

と、うしろから、箱根学園《はこねがくえん》の福富《ふくとみ》が声をかけてきた。福富はレース四番手を走っていて、今泉を追ってきた。

今泉はふり向いた。

「はい……、福富さん」

福富が、今泉のそばまできょりをつめてきた。

今泉はにげようとはしない。追いついた福富は、どうしても今泉に話したいことがあるかのように、口を開いた。

「今泉、おまえに聞こう。オレたち箱根学園は、戦況《せんきょう》を読み、先行する京都伏見《きょうとふしみ》の御堂筋《みどうすじ》と、総北のおまえの動きを見きわめ、最高《さいこう》のタイミングで最良《さいりょう》のクライマーを出した。今のチャンスは、かんぜんにうちが優勝《ゆうしょう》に向けて独走《どくそう》するタイミングだった」

そう語る福富のみけんにはしわがよっていた。

少し前まで、福富はかくしだまとして力を温存《おんぞん》しておいた真波《まなみ》をいかせる作戦《さくせん》が、ズバリ、ハマったと感じていたのだ。箱根学園のレースプランはかんぺきだったはずなのだ。

「しかし……」

ところが予想外《よそうがい》に、総北から坂道が飛び出した。真波は独走することができず、あとを追われている。

「おまえたちは……オレがおとり※だったという、その作戦《さくせん》すら読んでいたのか？」

と福富《ふくとみ》は聞いた。

総北《そうほく》は今泉《いまいずみ》から坂道にすぐさまスイッチしても、真波《まなみ》に引きはなされることなくピタリとついていった。福富にはそのことが信じられないのだ。

坂道のことは、かんぜんに盲点《もうてん》だった。その存在《そんざい》は福富の頭からは消えていたのだ。

その二台は、もはやはるか前方を走っている。

「いえ……、オレも正直びっくりしましたよ。予想《よそう》できなかったす……」

と、今泉も正直に答えた。

「けど、あのとき……よくわかんないですけど、信じてたんです。オレは、あいつがついてきてることを」

※おとり…敵《てき》をおびきよせるために使うもの

「……‼」

「オレがあいつに『ついてこい』っつったんで。したら、あいつは『わかった』っつったんで、だから……」

福富は目をまるくした。

「……それだけ……⁉　おまえたちの戦略《せんりゃく》はそれだけだったのか‼」

「信じて、あずけて、まかされて、全力で走る。そういうシンプルな戦略だったみたいですよ、うちら総北は」

今泉が、ひとごとのように言ったので、福富は少し頭に血がのぼり、

「そんなもの……一歩まちがえば……‼」

だいなしになる、とさけびそうになった。めんみつな箱根学園《はこねがくえん》と、出たとこ勝負《しょうぶ》の総北、レースへのとらえかたがちがいすぎる。

今泉はゆっくりとジャージのジッパーをおろして、むねに風を入れながら、

「オレも今、それに気づいたんです。でもそれって、ロードレースそのもののおもしろさだったんですよね」

だから、今、わらってるんだ、オレはと今泉《いまいずみ》はわかった。
そして、
行け。坂道。
オレたち全員の心をつんで、全力で走れ。
と、すこやかにほほえんだ。

追いかける坂道

ああああああああああああ——

ぐるぐるぐるぐるぐる
ぐるぐるぐるぐるぐる
坂道は今までで、いちばんペダルを回している。

「来た……来たね、坂道くん!!　感じるよ、その全身から闘《たたか》う意思《いし》を!!」

真波《まなみ》が坂道のエネルギーを感じてふり返った。

「今までいちばん、回してる。すごいケイデンス※だね、坂道くん!!」

そうクールに言うと、真波はスッとしりをあげて、ダンシングの体勢《たいせい》になった。つきはなすつもりだ。

「加速《かそく》するぞ、6番!!」

「すごいケイデンスだ!!」

めざとく見つけたファンがさけんだ。

「この激坂《げきざか》で?　ダンシング?」

「ハコガク、一気に勝負をつける気だ!!」

※ケイデンス…ペダルの回転数のこと。1分間にぐるぐると何回転するか

真波《まなみ》は、

「それーーーーーー!!」

と軽快《けいかい》にさけんだ。真波は、

ああ、ボク、今まででいちばん回している!!

と思いながら、

「それーーーーーー!!」

ともう一度さけんだ。

ファンが、思わず頭に手をやった。

「ああああああ！　すごい！　ハコガクが一気に引きはなしたァァ!!」

ここまでひっしでくっついてきた坂道は、ぬくことなく、ついにはなされそうだ。

「ああああああああああああ」
と坂道もさけんだ。

しかし、ダンシングでスパートした真波の速度《そくど》がすごい。上り坂なのに、ジリジリと坂道ははなされていく。

坂道はなきそうな顔になった。

「回れ、回れ、回れぇぇぇ!!! みんなのために、ああああああああ」

ぐるぐるぐるぐるぐる
ぐるぐるぐるぐるぐる

坂道はあきらめなかった。もう一度、ジリッジリッと差《さ》をつめる。少しずつ、真波の自転車が近づいてくる。

そのすがたを見て、ファンが絶叫《ぜっきょう》した。

「総北《そうほく》、追いついたァ!!!」

「うおおおおおおおおおお」

沿道《えんどう》の観客《かんきゃく》が熱狂《ねっきょう》する中、二台の自転車が坂を高速《こうそく》で登っていく。

「なんだ？　あの総北のクライマー!!」

「あきらめない！」

「このバトル、ゴールまで続《つづ》くのか！」

トップに立つ

そのころ、総北の巻島《まきしま》と箱根学園《はこねがくえん》の東堂尽八《とうどうじんぱち》はならんで六位《い》、七位を争って走っていた。

ちょうど、山岳《さんがく》リザルトラインを通過《つうか》するあたりで、レース実況《じっきょう》のアナウンスが二人に聞こえてきた。

「いったい、順位《じゅんい》はどうなってるんだ、先頭は？」

と東堂がつぶやいたときだった。

スピーカーの声が、

「気になる一位争いは……今、情報《じょうほう》が入りました」

巻島も東堂も思わず耳をすませた。

「先頭はゼッケン6番、真波《まなみ》山岳《さんがく》選手《せんしゅ》。箱根学園！」

東堂が小さくガッツポーズした。

それを見て、巻島は舌打《したう》ちした。

「そしてすぐうしろ、きん差《さ》で追うのは……」

とアナウンスは続いた。


すぐうしろ？　きん差？

「176番、小野田坂道選手《せんしゅ》、総北高校《そうほくこうこう》です」

小野田!?

東堂《とうどう》はペダルをふみながら、信じられないという表情《ひょうじょう》で、沿道《えんどう》にいる記録員《きろくいん》に声をかけた。

「今のアナウンス、175番のまちがいじゃないの？
今泉《いまいずみ》ってやつじゃない？」

記録員は、

「あ、いえ、176番です。あってます」

と答えた。

「おい……おい」

巻島《まきしま》はおどろいて、そして、口もとがほころびそうになった。

東堂もびっくりして言った。

「それって‼　メガネくんか‼」
巻島はわらいがこみあげてきて、その顔をかくそうと手でおおった。
「坂道ィーーーー！
クハ
先頭に追いついているのかおまえ‼
どこまでもおもしろいヤツショ！　坂道ィ‼」

田所迅《たどころじん》は、箱根学園《はこねがくえん》の新開隼人《しんかいはやと》と八位、九位を走っている。順位《じゅんい》を知らせる黒板が見えた。

176？

田所も見まちがえたかと思った。新開《しんかい》が、

「176番って、おめさんところの……!!」

と言うと、

「ああ……うちの六番手だ。メガネかけた、ちっせえクライマーだ!!」

と、ドスのきいた声で思わずさけんだ。

総北《そうほく》の主将《しゅしょう》、金城真護《きんじょうしんご》は鳴子章吉《なるこしょうきち》といっしょに、救護《きゅうご》テントにいた。

リタイアした二人だ。

左ひざをほうたいでぐるぐるまきにされた金城はベッドから起きあがるとよろよろと、鳴子がねているとなりの救護テントへ足を運んだ。

「鳴子。起きてるか。いや起きなくていい。耳だけ聞け」

鳴子は、目の上にタオルをのせて横になっている。頭にはほうたいをまいている。ねむっているのかもしれない。

「今、そこで聞いた……。ゴールまでもう二キロ近くまで来ている。そのじょうきょうでハコガクのクライマー真波《まなみ》を追っているのは……オレたちのおもいをついで、ジャージをゴールに運ぼうって闘《たたか》っているのは、小野田だ‼　あいつが一人で闘ってるんだ」

小野田と聞いて、鳴子は目をさました。

金城と目をあわせた。

坂道が先頭争いをしていることが、総北のメンバーに伝わったころ、坂道は、真波を追いつめようとしていた。道は少しまっすぐ走ったら曲がり、また少しまっすぐ走ったら曲がり、とジグザグに山を登っていく。ずっとキツい上り坂だ。

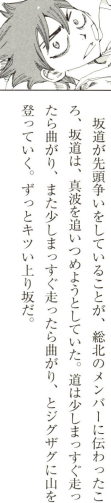

「うわああああああああああ」と坂道はさけびながらこぐ。

「それぇええええーーーーー」と真波《まなみ》も負けないようにこぐ。

ちょうどそのときだった。坂の下から、スーッと風がふきあがってきた。

ほらきた。

真波がニヤッとした。

ふわっとうきあがるように、真波の白い自転車が速度《そくど》を上げる。真波のとくいのテクニックだ。追い風を使って、加速《かそく》する。まるで白いつばさが背中《せなか》からはえたかのように、風にのった。

ところが、その片方《かたほう》の羽根《はね》をむりやりちぎりとるかのように、坂道がうしろからまっすぐ加速《かそく》してきたのだ。

え？

と真波はこれまでだれにも見せたことのないような不安な顔をした。

「な……ならんだ!!!」

沿道《えんどう》から大歓声《だいかんせい》が起きた。真波はあせる気持ちで、

キミはケイデンスだけで――!!

オレと闘《たたか》えるのか？

そして、真横にならばれた坂道の顔をチラリと見た。真波《まなみ》のひとみには、坂道がぎゅっと目をつぶって、もうれつにペダルを回しているすがたがうつった。

坂道は、

「真波くん、ボクはキミをぬく。あああああああああ」

と目をとじたままでさけんだ。

「マジでならんだ、総北《そうほく》!!」

「うっそ」

「王者にならんだ……いや」

「総北はまだ加速《かそく》してる!!」

そして、坂道はついに真波の前に出た。いきおいのまま、自転車一台分、前に出た。

「うぉおおおおおおーーーー!!」

「入れかわった‼」

「おい、総北が箱根学園《ハコガク》をぬいたぞ！」

「残り二キロぉ‼」

沿道《えんどう》からは大きなはくしゅがおきた。

「すげぇ‼」

ここで先頭はついに、坂道に。

レース終盤《しゅうばん》でトップが逆転《ぎゃくてん》した。

ハァ　ハァ　ハァ　ハァ　ハァ

力をふりしぼって走る坂道の息《いき》はものすごくあらい。観客《かんきゃく》にまで伝わるほどだ。

ぬかれた真波は、

え？　小野田くんのペースが落ちない……‼

と気づき、あせった。沿道《えんどう》から
「総北《そうほく》176番、ハコガクをじりじり引きはなしているぞ‼」

「王者相手に……!!!」

「勝つのか？」

と声が飛んだ。

たしかに、坂道と真波《まなみ》の差《さ》がゆっくりと、
じわり、じわり、少しずつ開いていく。

ハァ　ハァ　ハァ　ハァ　ハァ　ハァ　ハァ
ハァ　ハァ　ハァ　ハァ　ハァ　ハァ　ハァ

坂道はものすごい息《いき》をはき出しながら下を向いてこいでいる。まわりを見ていない。

「でも苦しそうだ!!!」

「だいじょうぶか、総北!!」

最初《さいしょ》は、やんや、やんややのもりあがりだった沿道のファンたちは、歴史的《れきしてき》なレースを見ていることに気がついたようで、顔の表情《ひょうじょう》がしんけんになってきた。

「今年のインターハイはすげぇぞ、だって、あいつら二人、無名《むめい》の一年生だぜ!!!」

ゴール地点では

「なん……つった今、アナウンス……」

「トップは……って。いやいや、ボクの聞きまちがいかもしれないス、聞きまちがい」

選手《せんしゅ》たちが入ってくるのを待つ、富士山《ふじさん》五合目《ごごうめ》のゴール地点付近《ふきん》は、ざわめきにつつまれていた。

テントの前で話しているのは、総北《そうほく》の補給部隊《ほきゅうぶたい》のリーダーで二年の手嶋純太《てしまじゅんた》と、一年の補欠《ほけつ》の杉元照文《すぎもとてるふみ》だ。もう、ゴールまで補給はない。かたずをのんで、黄色いジャージが来るのを待っているところだ。
先頭が残り二キロを切ったので、コースへの立ち入りがきんしになり、ゲートが係員《かかりいん》の手によって閉められた。

「じょうきょうがわからない、どうなってるって？」と手嶋が聞き返すと、もう一度、スピーカーから声がしてきた。
「現在《げんざい》、先頭争いは二人、トップは、総北高校、小野田坂道選手《せんしゅ》です」

え？

手嶋も、杉元も、ほかのみんなもガッツポーズをしながらジャンプした。
「うおおおおおおおおおおおおおおおおおおおおお」
「トォォォォプ!!」
「わあああああ」

手嶋《てしま》と杉元《すぎもと》は思わずだきあった。

「トップ？　あの小野田くんが？　え？」

「インターハイで？」

「うそ……え？」

マネージャーの寒咲《かんざき》ミキは、むねの前でぎゅっと手をにぎりしめた。

すごい。

小野田くん……!!

いつも一生懸命《いっしょうけんめい》で、まっすぐでみんなのためにがんばれるあなただからここまで走ってこれたんだね！

どれだけたいへんだった？
いまも一生懸命、走ってるんだよね……。
すごくがんばったんだね‼
小野田くん！

いろいろ思い出したり、そうぞうしたりしているうちに、ミキの目には今にもなみだがあふれそうになってきた。

五合目で同じアナウンスを聞いていたのは、総北《そうほく》の近くにもう一組いた。

「え？　なんて」

そのテントから少しはなれたところにいる、坂道の母と真波《まなみ》の同級生の宮原《みやはら》すずこだ。坂道の母は観光《かんこう》に来ていたが、バスを乗りまちがえてここにいた。帰りのバスの時刻《じこく》をたずねたことをきっかけに、※すずこと知り合っていっしょにいるのだった。

※すずこと知り合って…小説版 弱虫ペダル 14 巻参照

二人はアナウンスを聞いて、ポカンと口を開けていた。すずこが、

「さんがくが二番？　うそ。いえいえ、だいじょうぶです。かならず、一番になりますよ、ご心配ありません」

と、やっとの思いで言った。そして、となりでかたまったままの坂道の母に、

「どうかされました？　おばさま」

とたずねた。

「いま、お……小野田坂道、って言ったわ。スピーカーから」

「ええ。敵《てき》のチームですよ」

「へぇーーーーーーーーーー‼　いるのね、同姓同名《どうせいどうめい》って‼」

と、母は、すずこの顔をまじまじと見て、意外そうな顔をした。

最後《さいご》の勝負へ

残り千七百メートル。

ないてもわらっても、もう三十分もかからないうちに長かったレースはおわりだ。

ぬいた……、真波くん、キミを……。

さっきまで目を閉じていた坂道は、パッと目を開けた。先頭のけしきを見ながらペダルをふんでいた。

飛ぶように登るキミを――ぬいたんだ――!!

初めて会った日のことが、走馬灯《そうまとう》のように思い出された。

ハァ　ハァ　ハァ　ハァ　ハァ　ハァ　ハァ

坂道は真波《まなみ》を少し引きはなした。ケイデンスは落としていないけれど、呼吸《こきゅう》もおちついてきた。すると、沿道《えんどう》からのせいえんが耳に入ってきた。


「ガンバレー‼」

「登れーーーーー!!!」

「総《そう》ーー北《ほく》ーーーー‼」

「初優勝《はつゆうしょう》だぞーーー」


黄色いジャージが先頭をどんどん登っていくのを見て、せいえんが飛ぶ。レースファンは、このままいくと、総北が初優勝だということも、一年生がインターハイを優勝するめずらしいゴールシーンが見られることも気づいていて、おうえんの声がひっきりなしに飛んでいた。

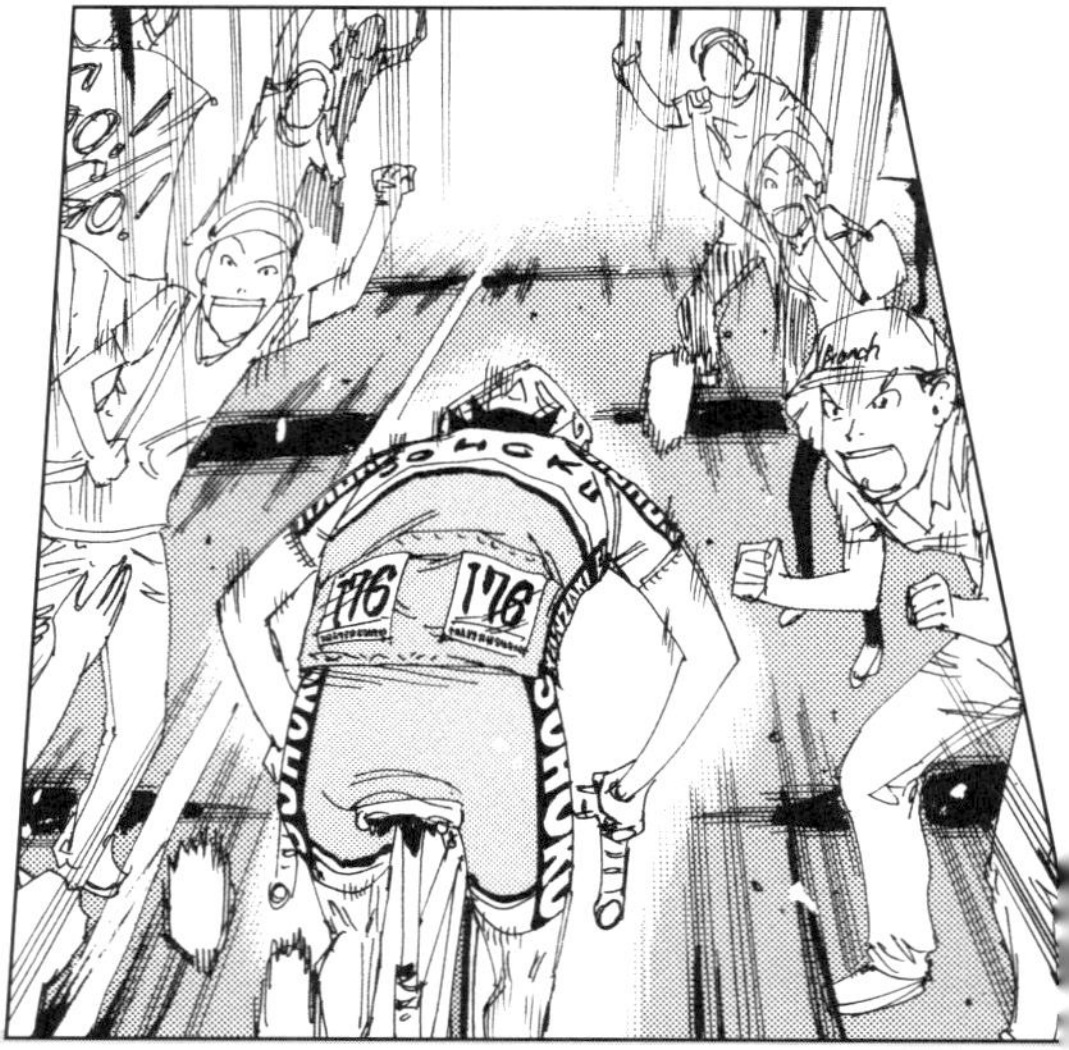

その中をどうどうと進んでいく坂道は、
レースの先頭ってこんなににぎやかなんだ。
ごめん、真波くん、ボクは行くよ、まかされたから
ジャージをとどけるのがボクの役目だから、
この先の、ゴールまで。

と思った。人生初《じんせいはつ》のけいけんばかり。だけれど、休まずにペダルをふみ続《つづ》けることには
かわらない。そのとき、

聞こえる。
ハッと気配《けはい》を感じて、坂道はふり向いた。
なんだ？　聞こえる？　歓声《かんせい》でうるさいはずなのに
キミの息《いき》づかいと、車輪《しゃりん》の音だけが――。

と思うやいなや、
「やあ」
と、クールな顔が一気にうしろにやってきた。

真《ま》……波《なみ》くん!!

まったく勝負をあきらめてはいない。
少しはなされたきょりを、またつめて、
坂道にプレッシャーをかけてきたのだ。
真波は言った。

「まってよ、走ろう…。もっと、坂道くん」

ハッ　ハッ　ハッ　ハッ　ハッ　ハッ

真波はみじかいこきゅうをくり返しながら、ニコニコとうれしそうにペダルをふんでいた。そして、坂道にすがるように話しかけた。

「出し切るまでさ……、せっかくだ。そうでないと、もったいないだろ」

ハッ　ハッ　ハッ　ハッ　ハッ　ハッ　ハッ　ハッ

坂道には、真波の息《いき》がリズムよく聞こえた。思わず、真波の顔を見ると、みけんからはなをつたって、大きなあせの川ができていた。そして、体中からボタボタとあせがアスファルトに落ちていた。なりふりかまわず、ペダルをふんできたのだ。そして、

「わかるだろ？　勝負も、チャンスも、人の生も、〝つぎ〟なんてないんだ‼」

とニッコリした。

レースはまだ終わってない。坂道ははらをくくった。

一瞬《いっしゅん》で、追・い・つ・か・れ・た……！

真波《まなみ》は坂道に語りかけた。

「坂道くん、これはたぶん、今のオレらの、最後《さいご》の勝負だよ」

そう言うと、真波の目つきがえものをねらうように細くするどくなった。

「また、追いついたぞ！」

「まだわからないぞ」

ドーーーーーー!!!

ばくはつするような歓声《かんせい》があたりにとどろいた。

第二一章 真波《まなみ》の羽根《はね》

真波《まなみ》の最終試験《さいしゅうしけん》

「上から歓声《かんせい》が聞こえますね」
と今泉《いまいずみ》が福富《ふくとみ》に言った。

トップを争いながら富士山《ふじさん》を登っている坂道と真波《まなみ》をおうえんする声が、山の上からふってくる。今泉は、坂道の快走《かいそう》をそうぞうしながら、福富に話しかけた。

「一つ、聞きたいことがあるんですが、なぜ、最後《さいご》、一年の真波を行かせたんですか？　つかれていたとはいえ、エースであるあなたなら、自転車に不具合《ふぐあい》が起きたオレをパスできた。それでも、自分が行かず、あずけた理由は――」

「──たしかに」

福富が話し始めた。

「箱根学園史上《はこねがくえんしじょう》、ラストゴールを一年にあずけたれいなどかつてない!!」

「ということは、彼《かれ》がすぐれたクライマーだから……ですか」

「それだけの理由ならば、オレはどんなにつかれていても、自らペダルをふんだだろう」

今泉は、つぎの言葉を聞きもらすまいと、耳をすませた。

「行かせたりゆう、それは、ヤツが勝つ男だからだ」

そう言うと、福富は箱根学園の部室《ぶしつ》でのインターハイ出場メンバー選考《せんこう》の日のことを頭に思いうかべた。

あの日、部室《ぶしつ》にいたのは主将《しゅしょう》でエースの福富《ふくとみ》、エースアシストの荒北靖友《あらきたやすとも》、エースクライマーの東堂尽八《とうどうじんぱち》、エーススプリンターの新開隼人《しんかいはやと》、この三年生の四人だった。レギュラーのわくは残り二人。一つはスプリンターの泉田塔一郎《いずみだとういちろう》が決まっている。あと一人、六人目のクライマーをだれにするのかを話し合っていた。福富が考えを話すと、荒北がそれに大反対したのだ。

「なんでだよ！　どう考えてもゼッケン6は黒田だよ！」

荒北は、バンとつくえをたたいて大声を出した。つくえの上のボールペンがいきおいでゆかにころげ落ちた。

「福《ふく》ちゃん、もう一回、考えなおせっつってんだよ。そりゃあ、※メンバー選考《せんこう》レースで黒田は負けちまったけどよ、あいつのほうが話がわかるし、練習じゃ登れてる！」

つばを飛ばしてまくしたてた。

「泉田とも仲《なか》がいいしよ。チームワークもかんぺきだ。だって真波はまだ一年だろ。インハイを走るのは早《は》ぇえよ‼」

※メンバー選考レース…箱根学園のスタメンを決める部内レース。小説版 弱虫ペダル14巻参照

キャンセルする理由は、そんで十分だ。頭を冷やせ、福ちゃん。真波が勝てたのは、運だァぜ。風なんてそう都合《つごう》よくふくもんじゃねェって!!　たんなるフシギちゃんだヨ、あいつは!!」

福富は、うでぐみをしたまま、目を閉じていた。荒北は、今度は東堂に話しかけた。

「東堂の意見はァ？　真波でいいのか？」

「正直……女子の人気をオレと二分しちまうという点ではもんだいがあ…」

「新開はァ？」

東堂の発言をむしして、問いつめてくる荒北を新開はしばらく見つめていたが、しずかに口を開いた。

「組別《くみべつ》トーナメントをやって、それで決めると言って、それで決まった。いいんじゃないか。ルール的にはフェアだ」

「ダメだよ、バァカ」と、荒北は新開にも食ってかかった。

「今回のインハイの最後《さいご》は……富士山《ふじさん》だぞ」

その声に部屋《へや》にいたメンバー全員《ぜんいん》がゴールシーンをそうぞうした。

「最後《さいご》の勝負《しょうぶ》はクライマーがものを言うだろ。もしも、なにかあって、最後にあのフシギちゃんが一人残ったとして、本当に、アイツに箱根学園《はこねがくえん》のはたをあずけられんのかっつう話だ‼」

全員が重いちんもくにつつまれた。

黒田か、真波《まなみ》か。

ただ一人、福富《ふくとみ》だけが、表情《ひょうじょう》をかえず、うでを組んだままだった。

そんなことがあった翌日《よくじつ》、福富は、真波と走ってみることにした。

「めずらしいですね、せんぱいから走ろうとさそってくれるなんて」

真波はニコニコと福富のうしろをついてきた。

「なんだかうきうきしますね。この先、峠道《とうげみち》、そして、頂上《ちょうじょう》駐車場《ちゅうしゃじょう》ですよ」

最終《さいしゅう》テストのつもりで、福富は本番の富士山《ふじさん》のゴール

シーンをイメージして、上り坂のコースを選んだ。福富は、はしゃぐ真波をジロっと見すえると、

「うきうきのわりには、指定《してい》の時間に三十分もちこくしたな」

と、するどい言葉をはなった。

「いやあ」

と、わらいながら頭をかくしぐさをする真波を見ながら、
たしかに……こんな男に、箱根学園の最後《さいご》をあずけられるのか——だ。

福富はがっかりした。荒北《あらきた》がほえた言葉がよみがえる。かんじんなところで信用ならぬかも、と思っていると、真波は急にするどい目つきになり、
「集中力を上げていたんでね。この登りコースなら、福富さんといい勝負になるのかなァと思って」
明らかに闘《たたか》いをいどんでいる。それも、

一年の真波《まなみ》が、三年で主将《しゅしょう》の福富《ふくとみ》に勝算《しょうさん》があると言わんばかりだ。鉄仮面《てっかめん》とよばれる無表《むひょう》情《じょう》の福富もさすがに、口もとがピクリと動いた。

「それでですね、集中のためにちょっとねるつもりが三十分もがーっつりねちゃいました」

と、もう一度、ふざけた口調《くちょう》で言ったが、ガラリと表情《ひょうじょう》をかえて、

「おかげでリフレッシュしてますよ。いつでも、いつでもいいですよ!!」

競走を始めようというのだ。福富は、真波からのプレッシャーが上がったのを感じた。

「ここからですか。それとももうちょい先からですか。やりましょう、勝負《しょうぶ》を」

そう言うと、いきなりふみこんで真波は福富をぬいた。

速《はや》い!!

福富のゆだんをついたとはいえ、あっという間に前に出て、一車身《いっしゃしん》はなした。

速い———だが、これくらいならば、真波は黒田と同格《どうかく》。
そう思いながら、福富はブンとペダルをふんだ。

オレでもおさえる！

すぐに、福富は真波にならんだ。真波は
「うっは!!」

と、おどろいた。福富と手合わせすることなんて、めったにない。福富はたたみかけるように、

「今日は風はないぞ。とくいの〝羽根《はね》〟は出せないか!!」

と聞いた。

その瞬間《しゅんかん》に、真波の目がきらきらした。そして、

「ああ、なんか、あの最後《さいご》の加速《かそく》ですよね、みなさんは羽根ってよんでくれているみたいですね。なんだかてれますね」

と、かるい口調《くちょう》で話した。

二台の自転車は、右コーナーに入っていく。

「出せますよ、羽根《はね》。風なんかなくっても」

と、にっこりと福富《ふくとみ》にわらいかけた。

真波《まなみ》は、くったくなく、うれしそうにわらっていたので、福富はつい、
目つきがきびしくなった。

「ただし、頂上《ちょうじょう》に近づけば……という条件《じょうけん》はありますけれど」

む？
「せいかくには、〝羽根を出す〟じゃなくて、〝羽根が出ちゃう〟って感じですけどね」
――――!!

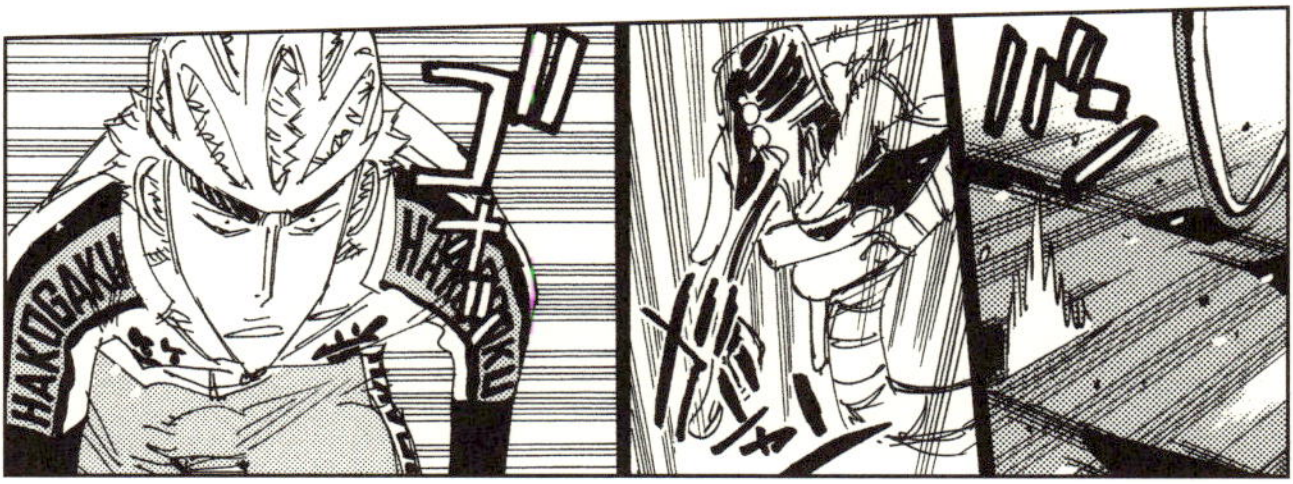

風がなくとも、出る……のか⁉
そう思う間もなく、

バン
ガシャン

真波はギアチェンジをした。

ギャン

福富は目を見開いた。
なんだ、その加速《かそく》は――――‼
真波‼

福富《ふくとみ》が頂上《ちょうじょう》の駐車場《ちゅうしゃじょう》につくと、先についた真波《まなみ》がガードレールにこしかけて、水をのんでいた。
「鳥だ！」と声を出して空を見つめる真波に近づいた福富は、
「六人目はおまえだ」
とつげた。

真波はしばし、キョトンとしていた。そして、

「えっ、決まってなかったんですか？」

とズッコケるしぐさをした。

そして、なにか感想《かんそう》ひとつ言うわけでもなく、「あ、そうだ！　オレ、委員長《いいんちょう》からプリントをやれって言われてるんで、もどります！　ヤバ、もう三時ですね」と自転車にまたがり、坂を下ろうとした。

「今日はあざした！」

と頭を下げる真波に
「まて」

と福富がさけんだ。

「一つ聞く、インハイをなんのために走る？」

と福富はしつもんした。

一瞬《いっしゅん》、真波はまじめな表情《ひょうじょう》になった。福富は、さらに、

「名を上げるためか。区間賞《くかんしょう》のカラーゼッケンがほしいか」

と聞いた。真波はゆっくりと答えた。

「オレ、すげー、坂好きなんです。それは山の頂上まで続《つづ》いているからです。オレは、だれよりも、どんなときでも、頂上のけしきを最初《さいしょ》に見たいんです」

真波は福富の目を見た。そして、続けた。

「純白《じゅんぱく》の——だれにもふれられていないそれを、オレのものにしたいんです」

そこで、福富はふとわれに返った。

ちょうど、となりを黄色いジャージの今泉《いまいずみ》が走っている。
真波《まなみ》が勝つ、と福富《ふくとみ》は思った。そして、心の中で真波にエールを送った。

ほっするもの――、それは人をつき動かす‼
あのとき、おまえの目の中に、ゆるぎない根底《こんてい》を見た。
真波は……最後《さいご》の勝負《しょうぶ》では、すべてを使い切る。
残るのは、心の中にある「よく」‼
「勝ちたい」――
その言葉よりもシンプルな、
「いただきへのかつぼう」
おまえがほっするいただきは、
すぐ目の前だ。
ゆけ、真波！

トップ交代《こうたい》、真波《まなみ》のギアテクニック

「そら！」

ざんねんながら、坂道のトップ走行はそう長くは続《つづ》かなかった。
デッドヒートから、真波が坂道を追いぬかし、先頭に出た。
「はやる！」※
と真波はつぶやいた。

坂道が、
「前に出た!!」

※はやる…待ちきれずにこうふんしている様子。いさましい気持ちになること。

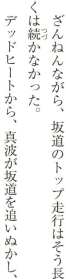

真波《まなみ》くんもケイデンスをあげた――――!!」

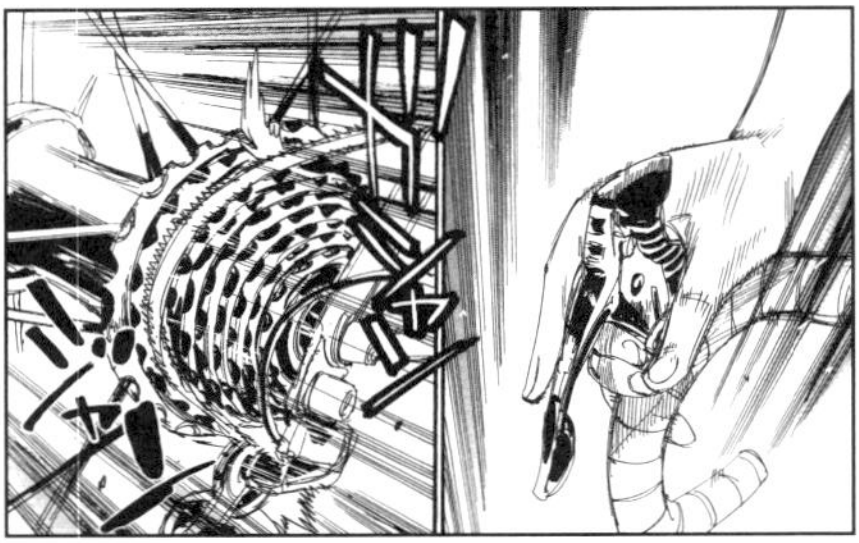

そう思ったときだった。

真波の右手がすばやくレバーをそうさした。

ガシャン、ジャン、とギアチェンジ。

それを見たとき、坂道の頭には、部室《ぶしつ》で鳴子《なるこ》がギアテクニックを教えてくれたことがよぎった。

「小野田くん、登りの基本《きほん》はギアをおとすんや。そうするとペダルが軽くなる。そしてケイデンスの回転力で登る。そのほうが楽に登れるし、小野田くんの登りかたにあっとる」

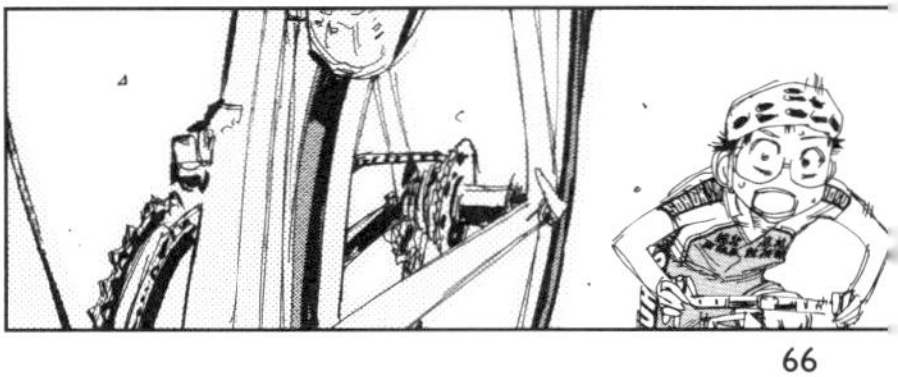

「ほへーー」
と坂道はノートにメモしたのだった。
ところが今――真波くんは、登りでギアを⁉

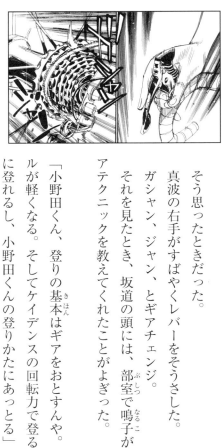

上・げ・た!!!

真波はギアをシフトアップして重くなったペダルを、ダンシングでふみこみながら、速度《そくど》を上げる。

ゴン！

なに!?

今の。

一瞬《いっしゅん》、羽根《はね》みたいなもの、見えた。


坂道は、自分からはなれていく真波を見ながら、口をパクパクさせた。

「いや、それより、追いかける！」

そのときまた、ガシャン、ジジャンとギアチェンジの音が聞こえた。

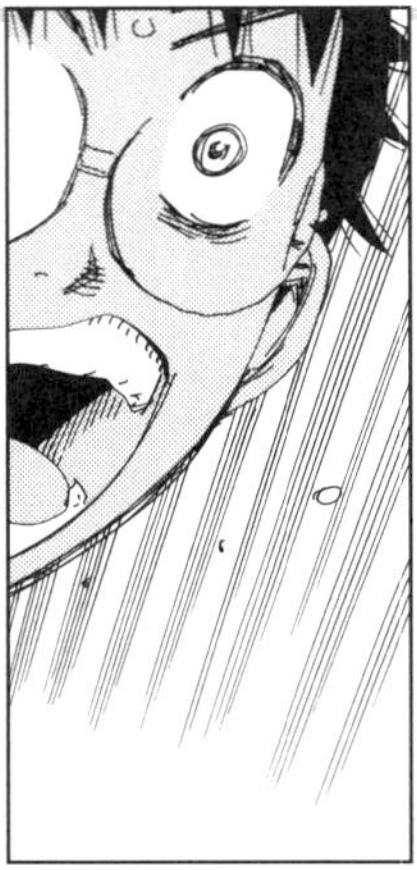

「え、また上げた！」

真波《まなみ》の自転車は、さらにペダルが重くなったはずなのに、力強くスピードをましていった。

え？

「ごめん、坂道くん、オレ、いただきが近づくと心がはやっちゃって、自然《しぜん》とギアが上がっちゃうんだ!!」

ふり返った真波の言葉に、坂道はあっけにとられた。

なんだ、真波くんがギアを上げるたびに、羽根《はね》が……

え……!?

ふえる！

KANAGAWA

トップに立った真波《まなみ》は、先頭のけしきをひとりじめしていた。

「はやる‼　さあ見えるよ！　最後《さいご》のゲートが」

おれ曲がっては登っていくラストセクション。コーナーを一つ曲がったときに、ついに、遠くにポツンとゴールゲートが見えた。

あれをトップでくぐれば優勝《ゆうしょう》。三日間の長かったレースが終わる。

ぐるぐるぐるぐるぐるぐるぐるぐるぐるぐるぐるぐる
坂道は、軽いギアで回転数を上げて、ひっしで追いつこうとした。

「はやる！　はやる！　はやる‼」

真波は口に出しながらリズムを取っていた。はやる気持ちをおさえることができない。

こうふんしていた。

だって、
もう頂上《ちょうじょう》は近い。
はだでわかる。
いつもそうなんだ。
どんなに先のカーブが見えなくったって、
山頂《さんちょう》の向こうがわの空気が流れこんでくる。

しんせんで少しひやりとしてて、
その空気を感じると、
心がはやるんだ。
だから、思わずギアが上がっちゃうんだ。

富《ふ》士《じ》山《さん》五《ご》合《ごう》目《め》を間近《まぢか》にすると、真夏とはいえ、空気はひんやりしてくる。せみのなき声も、ミンミンからカナカナカナへ、見物客の服そうは、半そでから長そでへとかわる。坂

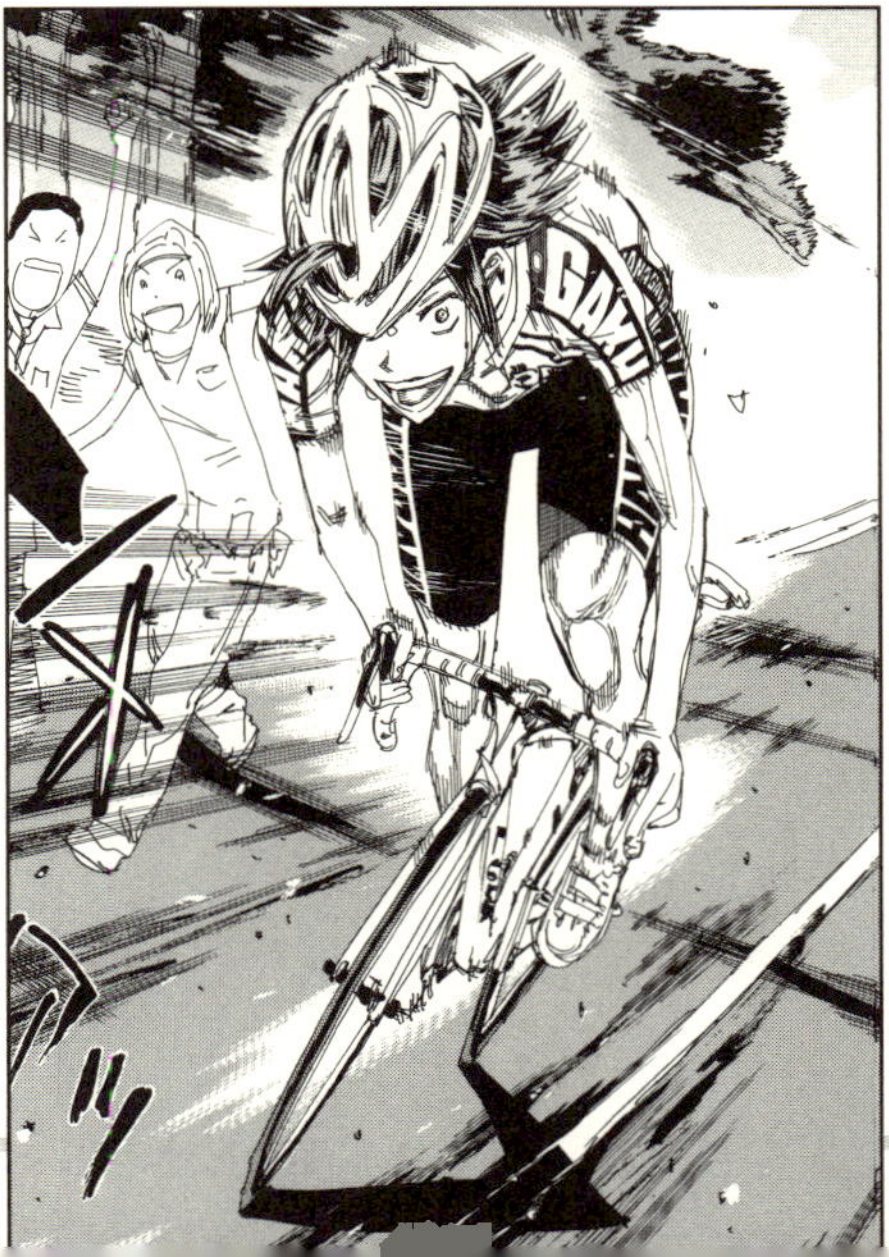

を登った分だけ、標高《ひょうこう》が上がり、空気がどんどんすんでいく気がしてきた。

「早く、早く頂上《ちょうじょう》につきたいんだ。

この空気のせいで、思わずギアが上がっちゃうんだーーー!!」

思わず真波《まなみ》はさけんだ。

ハイギアのペダリング、スムースな加速《かそく》で、真波の白い自転車は速度《そくど》を上げていく。そのかっこよさに、おうえんのファンもわく。

「やっぱりハコガクだぁーーーー!」

「いっけぇ!!　一年生!!」

黄色いジャージがうしろにおいていかれた。坂道だってひっしでペダルをぶん回している。しかし、

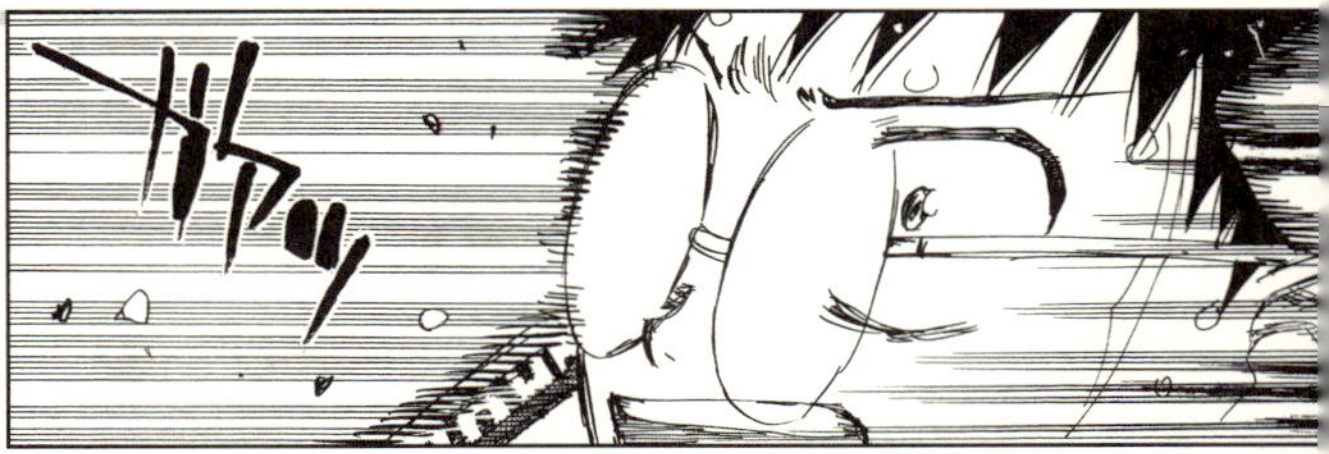

速《はや》い‼
速すぎる‼

と坂道はため息をついた。真波がくり出す異次元《いじげん》の走りについていくのがせいいっぱいだ。

どういうことだ……。
これは……真波くんはどんどんギアを上げている⁉
ボクはギアを落としてペダルを回して登る。
でも真波くんはギアを上げて登るのか‼
あ、また一だん、上がった！

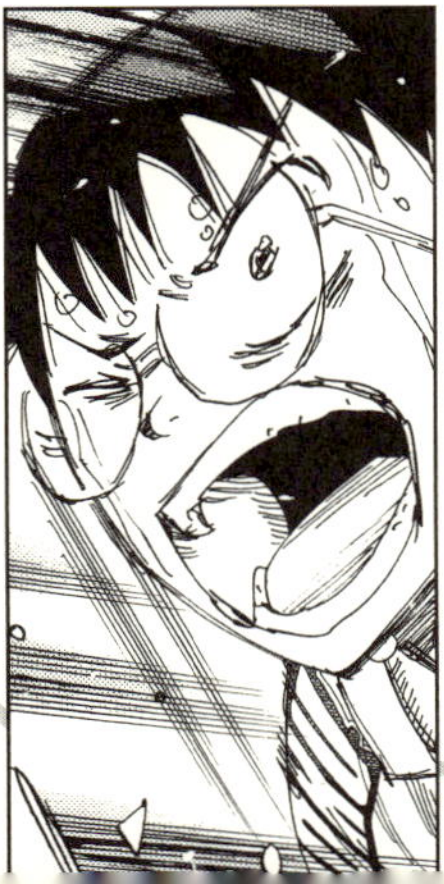

もう、坂道からは真波《まなみ》のギアチェンジの音は聞こえない。それほどはなされてしまった。

坂道は、真波の手もとと足もとをうしろから見つめている。一つも見のがしたくない。真波がカシュンと変速《へんそく》レバーをおしこむのが一瞬《いっしゅん》見えた。

ジャン‼

また真波の速度《そくど》が上がる。

ああああああああああ！

ついてく……ついてくんだ‼

これ以上《いじょう》、引きはなされることは敗北《はいぼく》を意味する。

坂道はひとりごとを言いながらふんばる。

よく見るんだ。

ロードレーサーのギアの数は全部で十枚《まい》。

今、五だん目！

え‼

ってことは、ここから、最大《さいだい》五だんかい速くなるのか‼

坂道にはなすすべはないのか。勝負《しょうぶ》は決まったのか。坂道はただ、ひたすらにペダルを回すしかない。


ぐる

ひっしでふみ続《つづ》ける坂道に、

「総北《そうほく》、はなされている‼」

と、沿道《えんどう》の声が聞こえた。

「ハコガク、また加速《かそく》ゥ‼」

「総北はついていけないぞ‼」

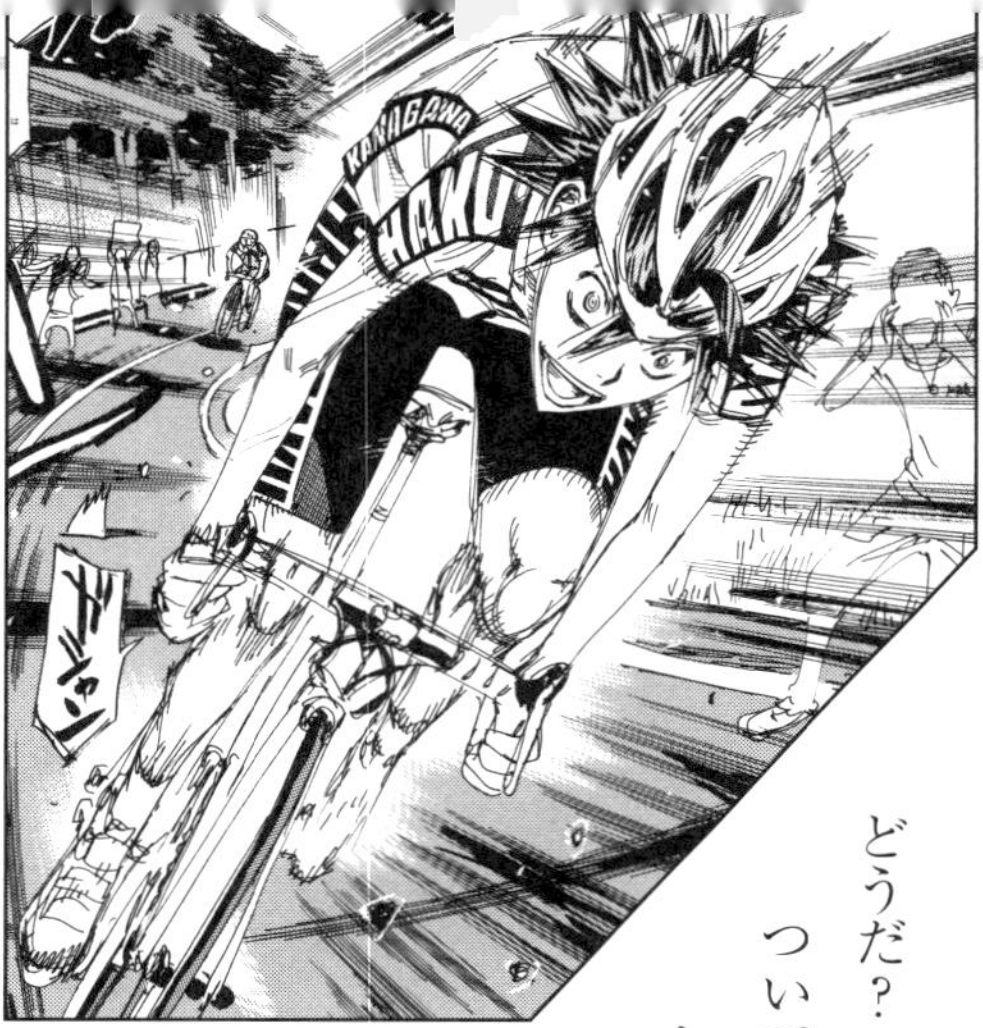

真波《まなみ》は一気に勝負《しょうぶ》に出たのだ。立て続《つづ》けのギアのシフトアップ&ダンシングで速度《そくど》を上げ、坂道があきらめるまで、じっくりときょりを引きはなす。
真波は頭を下げて、自分のうでのわきの下からチラリとうしろを見た。

どうだ？　来ない‼
ついてこれない、坂道くん。
しょうがない。

そこで、スッと顔をあげて前を見た。

いつだってそうなんだ。
いただきに行くことと
勝負《しょうぶ》するってことは、両立しないんだ。
今までだってそうだったから、

よし、いこう!!

いただきへ!!

そう言うと、一人、旅《たび》だつかのように、またギアをシフトアップ。

グッググ　シャン、ギャアン

「重って。ギア、重いってば!!　けど」

と真波はうなった。

ハァ　ハァ　ハァ　ハァ　ハァ　ハァ

真波も息《いき》があらくなってきた。

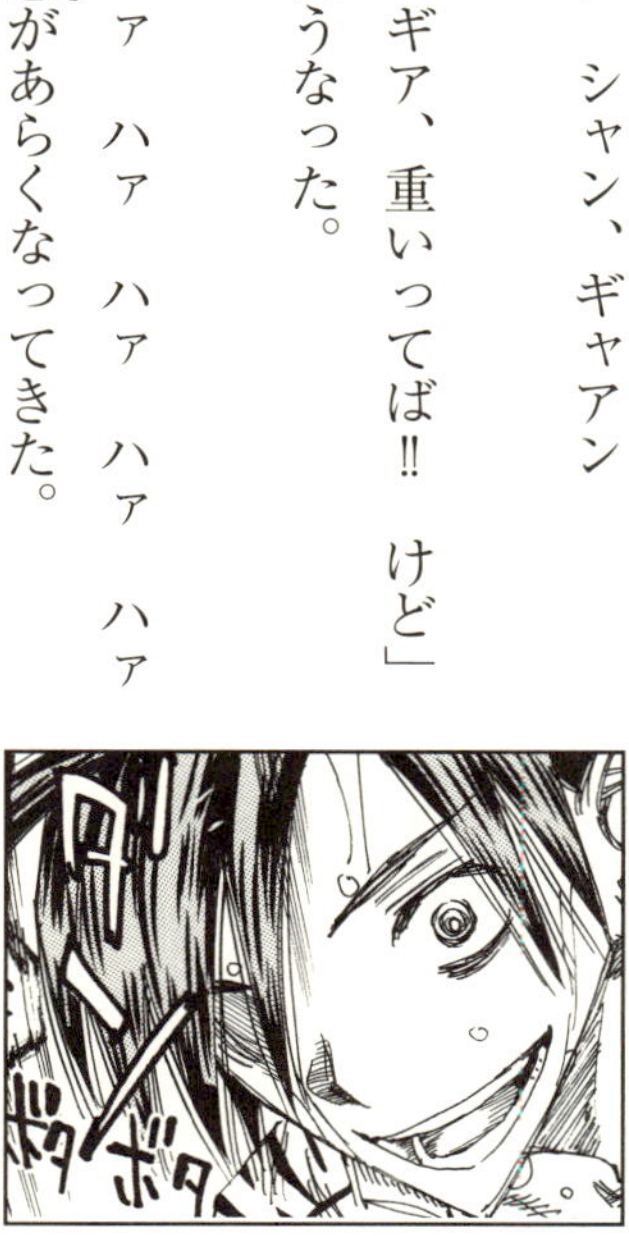

「気持ちいいーーーー!!」

満面《まんめん》のえみをうかべて、坂を登っていく。

ファンのおうえんの声がいちだんと大きくなる。

「今年は、この選手《せんしゅ》だ！」

「いけぇぇぇぇ」

「ハコガクすげぇ」

ハァ　ハァ　ハァ　ハァ

ハァ　ハァ　ハァ　ハァ

集中して走ってると、へんなの思い出す、と真波《まなみ》は思った。

それは、昨夜《さくや》の合宿所《がっしゅくじょ》でのこと。クライマーのせんぱい、東堂《とうどう》とのやりとりだ。

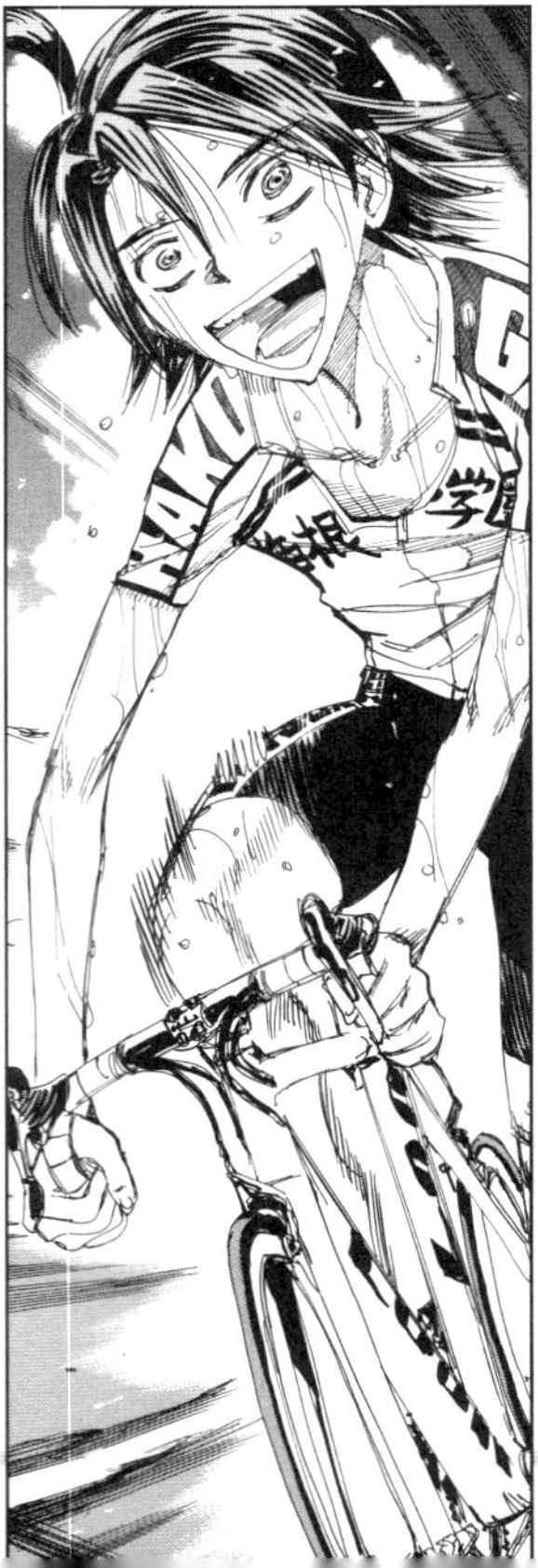

真波が洗面所《せんめんじょ》で歯をみがいていると、東堂がいきなり優勝宣言《ゆうしょうせんげん》をした。

「明日はオレが山頂《さんちょう》をとる」

「ひっへはふよ、ふくほみはん、ひってはひた」

「口をゆすいでからしゃべれ、バカモノ！」

真波は口の中が歯みがきこのあわでいっぱいだった。

ガラガラペーすると、言い直した。

「知ってますよ、福富さんが、言ってました」

「そうだ、巻島《まきしま》をつかれさせ、金城《きんじょう》を追いおとしたら、エースクライマーであるオレが最《さい》後《ご》はとる」

うで組みをして、東堂はそう言った。優勝のイメージトレーニングができている。

「だがな、レースは生き物だ。まれに戦況《せんきょう》がかわることがある。かりになんらかの予想外《よそうがい》のことがあって、おまえがラスト、行くことになったらどうする？」

真波は最初《さいしょ》、キョトンとした。しかしすぐに、うでをドンとつき出して、

「もえますね！」

と言った。

「そうなったら‼　オレが最初《さいしょ》に山頂《さんちょう》にいけるってことでしょ⁉」

少しはしゃいだ感じだった。

「あ」

真波《まなみ》は急いで思い直した。

「でも一人で山を走るのとはちがいますもんね。あんまり勝手に走っちゃうとおこられますか――。チーム戦ですもんね、インターハイは」

東堂《とうどう》はそのようすを見ながら、

「かりの話だ。だが――かりにそうなったら。心にとめておけ、同じクライマーとしてのオレからのアドバイスだよ」

いつものチャラくふざけている東堂とはちがう口調《くちょう》だった。真波はつぎの言葉を待った。

「おまえが一人、箱根学園《はこねがくえん》のジャージと歴史《れきし》をせおい、ゴールに向けて走るじょうきょうになったのならそのときは……」

「そのとき、は？」

「自由に走れ。チームのことはすべてわすれていい。それがおまえのクライマーセンスを引き出す、最良《さいりょう》の作戦だ」

あのときの東堂の予言《よげん》があたったというのか、今、箱根学園のジャージで先頭を走るのは、東堂ではなく真波だ。三日目、最終《さいしゅう》ゴールまであとわずかの地点で。

東堂さんは、「かりに」「かりに」って、何度も言ったけれど、ほんとうはこうなることもシミュレーションに入っていたんでしょ？

すげぇや!!　あの人のアタマの中、どうなってんの!!

ふだんは女子の話ばっかりしてるのに、こと自転車ってなると、戦略的《せんりゃくてき》で理知的《りちてき》！

かなぁないな、少しほれそう！

そう思ったとき、真波《まなみ》はジャージのむねのジッパーをジャッと下げた。すずしい風がむなもとにあたった。オーバーヒートしそうになるエンジンをひやすかのような感じがして心地よかった。

同じころ、うしろのほうを走る東堂《とうどう》はいのりをとなえていた。

「行けよ、山岳《さんがく》。自由に、自由に、自由に！」

自由に走りますよ、オレ!!

東堂のいのりがとどいたかのように、真波はそうちかった。

ブルーのジャージをあけはなった真波、そのすそをバタバタと風になびかせながら、疾走《しっそう》を続《つづ》けた。

そのころ、今か今かと、先頭が入ってくるのを待つゴール地点では、スピーカーから最新情報《さいしんじょうほう》のアナウンスが鳴った。

クライマックスが近くなって、観客《かんきゃく》たちも、選手《せんしゅ》をむかえいれるチームメイトたちも、そわそわしている。

「残り一・五キロです。先頭は入れかわりました。箱根学園《はこねがくえん》、6番、真波山岳選手《まなみさんがくせんしゅ》が先頭!!」

おおおおおーーっ！

やっぱ王者、一年だってよ！

と大歓声《だいかんせい》があがった。

それを聞いた総北《そうほく》の杉元《すぎもと》が、

「ちょっ……ちょっちょ……、ヤバいですよ、これは!!　これはヤバいです！

さっきのアナウンスでは、先頭は小野田だったじゃないっすか。ぬかれたんですか！」

ああ、せっかくここまできたのに、小野田ぁぁ‼　ああ、二位におわるのか～‼」

大げさにくやしがる。

「杉元《すぎもと》‼　バカヤロウ」

手嶋《てしま》がおちつきなくしゃべる杉元をとめた。

「思い出せよ。あきらめんな。オレは知っている。あいつがクライマーとしての力をはっきすんのは、いつだ？」

「えっ？」

「追いかけているときだよ‼」

坂道のラストスパート

ハッ　ハッ　ハッ　ハッ　ハッ　ハッ　ハッ　ハッ
もう残りがない。ここからはあっという間にゴールが来てしまう。

坂道ははなされた。かろうじて真波《まなみ》のおしりが見える位置《いち》でペダルをふんでいる。
しかし、コーナーのたびにそのすがたはまぼろしのように見えなくなる。

おうえんのファンが、
「ガンバレ！　いけ――！」
「もう少し、もう少し」
二番手を走る坂道に声をかけてくれる。

ハッ　ハッ　ハッ　ハッ　ハッ　ハッ　ハッ　ハッ

息《いき》をあらくしながら、坂道は小声で口ずさみはじめた。

ヒメッ　ヒーメ　ヒメッ　ヒメッ　ヒメッ……!!

あの歌をうたい始めたのだった。

シフトアップ・八だん目

真波《まなみ》はゴールに向かって快走《かいそう》を続《つづ》ける。優勝《ゆうしょう》へ、先頭をきりさいていく。真波はとてもうれしそうに、たのしそうに、えみをうかべながらペダルをふんでいる。そして、心の中では、おわかれの言葉をつぶやいていた。

いつもいただきにはだれもついてこなかった。
オレは一人だった。
坂道くん、じつは、オレさ――
もしかして、キミなら――
って思ってたんだ。
ずっといっしょに走ってくれるかも、って。
でも、さよならだ。

わかってる。
山頂《さんちょう》をとること
自由に走ること
そのだいしょうは
少しのこどく。

そう思うと、また走りにすごみと美しさが加わった。

トップが来るのをずっと待っていた観客《かんきゃく》の前を、ビュンと通りすぎると、

「うぉおおおお。ハコガクが独走《どくそう》している‼」

「総北は引きはなされているぞー」

と観客はこうふんした声をあげた。

「それぇぇ‼」

真波《まなみ》はなにかをふりきるようにさけんだ。

そして、つぎのギアのシフトアップがくる。

「あ、あ、あ、あ、なーー、な!!　七だん目!!!」

ファンが目をまるくする。

「速《は》っええ!!」

「なんだアイツ」

「強《つ》ええ」

「最強《さいきょう》クライマー!!!」

「すごいキレイ」

満足げに、トップ選手《せんしゅ》の走りをたのしんでいる。

真波は、

残りのギアは三だん。
上げるかァ

と、ニッコリした。
そのとき、今日のスタート前の福富のアドバイスを思い出した。
「最後《さいご》の二だんは上げるなよ。勝利《しょうり》を勝ちえるためには、理性《りせい》もひつようだ」

スタート前、福富さんには
「足にきちゃうから、上げるな」って言われたな。
けど、ここインハイでしょ？
ラストステージでしょ？
「だったら、上げとかないともったいないでしょ!!
八だん目!!」

ジャン、ガシャンと、ギアをシフトアップした。
チェーンが後輪《こうりん》の八番目のギアにきれいにはまった。

ゴゴゴゴゴゴゴ

ペダルはまた重くなる。しかし、まだ上の最高速《さいこうそく》が出る。

見ごたえのあるレースだ。沿道《えんどう》のファンがよろこんでいる。


「すげぇ!!　どんどん加速《かそく》してるぞ」

「わらってなかったか、アイツ」

「この山で……ハコガクの選手《せんしゅ》、ひょっとしてギアを上げてなかった?」

福富《ふくとみ》の心配

ちょうど真波が八だん目にシフトアップしたころ、福富は今泉《いまいずみ》とならんで三位《い》のところを走っていた。そこへうしろから、二台の自転車が接近《せっきん》してきた。

「来たか……!?　さすがだな!!」

と福富は言った。

追いついてきたのは、箱根学園《はこねがくえん》の東堂《とうどう》と、総北《そうほく》の巻島《まきしま》だった。これで三位グループは四台になった。

「とうぜんだ!　オレは箱根学園のエースクライマーなのだからな!!」

と東堂は言った。巻島は今泉の顔を見ると、

ただひとこと、

「ショ!!」

と言った。巻島《まきしま》は、今泉《いまいずみ》のかたをポンとたたくと、

「よくやったァ」

とねぎらいの言葉をかけた。今泉は、「いえ、すいません。最後《さいご》、オレが出られればよかったんですが」と答えた。

東堂《とうどう》は、福富《ふくとみ》の顔を見て、ボトルの水をぐいとのむと、

「やはり真波を出したか」と言った。福富は、

「ああ、もんだいなく山頂《さんちょう》はとるだろう。ヤツには八だん目までにしておけと言ってあるからな」

それを聞いて、東堂はおどろいた。福富が続《つづ》けた。

「前に一度、真波と走ったとき、八だん目まで上げた。たしかに、ほかをあっとうするほど速《はや》かった。坂でステップでもふむようにかるがるとかけ上がった。だが、あれはもろはのつるぎ※だ。速

※もろはのつるぎ…片方は役に立つけれど、もう片方は危険《きけん》があるもののたとえ

いが、足へのダメージが大きすぎる。あれは、飛べばくだけるガラスの羽根《はね》だ」

それを聞いて、東堂は目を閉じた。

三年生の二人は、どちらも真波のさいのうを信じていて、また、心配もしていた。東堂が、

「フッ、福富《フク》よ、言葉を返させてもらう。クライマーって生きもののことを、まだ少しわかっとらんのだな」

と、話し始めた。福富は東堂を見た。

「登るしか、能《のう》がないのだよ。それがゆいいつのプライドだ。坂を登って、自己証明《じこしょうめい》する。そういう輩《※やから》の、頂上《ちょうじょう》に対するかつぼうは、他者《たしゃ》とはくらべられん。

とくにヤツはそれが強い。なにがあったか知らんがな」

「……」

「だからオレは真波に、〝自由に走れ〟と言った。かがやけるステージで、すべてを出し

※輩…やから。なかまのこと。ここでは東堂と真波のクライマー同士のきずなを表す言い方

切れと言ったのだ。ヤツはもっとギアを上げるだろう」

その言葉を聞いて福富《ふくとみ》は東堂《とうどう》をにらんだ。東堂はすぐに、

「だが心配するな。それで負けました、なんて言うほど、あの男、やさしい男ではない‼」

と告げた。

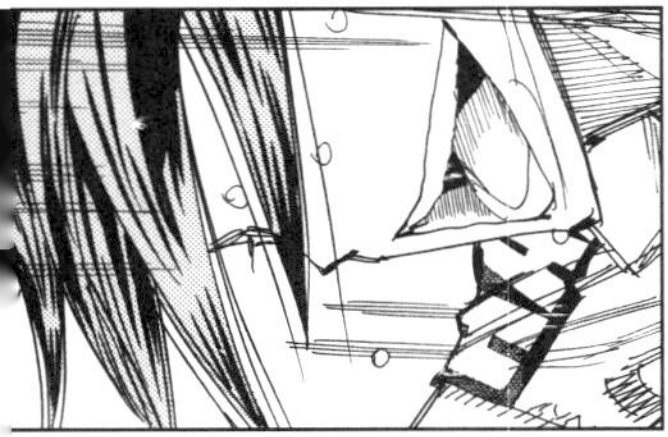

ラストギア

「ほしい、オレは山頂《さんちょう》がほ――」

と言いかけた真波《まなみ》の「ほ」の言葉に、

「ヒ‼」

という声が重なった。

ガアアアアッ

「ヒメなのだ!!!」

というさけびとともに、坂道がもうぜんと追いついてきた。

とっておきの、アニソンをうたっている。


え？


と真波はふり返った。

「大きくなぁれ、まほうかけても　ヒメはヒメなの……ーーーっ」

うたう坂道が接近《せっきん》する。

「ソーホク、キターーーーっ」

まだあきらめない黄色いジャージに観客《かんきゃく》がわいた。


真波《まなみ》の目がギラついた。

「ごめん、もうキミとは決別《けつべつ》したんだ。山頂《さんちょう》がほしい。だれにもわたさない」

と言うと、

「九だん目！」

とさけぶやいなや、右手を軽く動かして、ギアチェンジした。

またもやシフトアップ。

ペダルはさらに重くなり、しかし、速度《そくど》はアップ。

「ハコガク、加速《かそく》した。また引きはなすぞ!!」

観客は気が気じゃない。

真波は福富の言葉をむしした。

真波は、ブルーのジャージをバタバタとはためかせながら考えた。
足がカッチカチ。ギアもめっちゃ重たい!!
けど、もう一ちょう、いくかァ。
ここなら——イケるでしょ、
インターハイ、ラストステージの山頂が待っているんだから!!

ニコリとわらうと、

「もう一ちょおォォ!! 十だん目《ラストギア》!!」

右手を動かすと、カシュン、またもやシフトアップ。最後《さいご》のシフトアップをした。

福富《ふくとみ》がやめておけと言っていた、九だん目、そしてトップギアの十だん目についに入った。

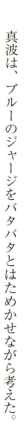

過去《かこ》二回は、登りで十だん目にして失速《しっそく》した。
けど、この感覚《かんかく》。今日ならイケるって気がしてるんだ!!
でも、ハンドルをつかむ握力《あくりょく》が？　足が!?
〝感覚〟とはぎゃくに体がひめいをあげている!?
そりゃそうかあ!?　ここに来るまでに何回も全開にしている。
でもイケるでしょ。〝感覚〟がイケるっていってんだから。

「さぁ出ろ、羽根《はね》ってヤツ!!!」
とペダルをふみながらさけんだ。
バサァ
そおっ!!!

れ……。

――!?

真波《まなみ》はいつもとちがう感覚《かんかく》にびっくりした。
羽根《はね》が開いたような感覚になり、ふきあがる風をつかんで、一気に
音もなく加速《かそく》する……イメージだったのだが、そうはならなかった。

パラパラパラ

つかれはてた羽根が、ぬけ落ちるイメージ
がした。つばさはこわれたカサのように、ほ
ねだけになってしまったように思えた。

あれ？　どうした？
気がつくと太ももが勝手に、べつの生きもののようにビクビク
とふるえていた。

動かない。ふめない？
げんかいってヤツ――？
とたんに真波はかなしくなった。はい色のかれ木の林の中を走っている気分がしてきた。

どうした？
草木もかれて見える。
花がしおれて、土はすさんでいる。
さっきまで色あざやかだったけしきが、はい色で重たく暗い。空までも――。

真波は空を見上げた。青空はなかった。今にも雨がふりそうな、不吉《ふきつ》なはい色をしていた。

「箱根学園《はこねがくえん》、失速《しっそく》ゥ！」

そんな観客《かんきゃく》の声が聞こえた。

「うおっ、急に？」

「どうした⁉　げんかい⁉」

「もう少しだぞ、ガンバレ！」


真波《まなみ》は目の前がまっくらになるのを感じた。


できない――――。

登りで十《ラスト》だん目《ギア》はむりすぎた――――⁉

それで体が、げんかいを――――。


真波は左手で太ももをバン！と思いっきりたたいた。

そのいたみで目をさましたかのように目に力が入った。
いや!!　のまれるな!!
はい色のけしきは、脳《のう》がつくり出しているだけのまぼろし!!

体のひめいを感じ取って、注意をかんきさせるために見せている世界。
それはそうだ、
今までにやったことのないことを、やろうとしているのだから。
まぼろしを見るのは、すごくあたり前のことなんだ。
真波は心を取りもどした。心を強く持った。
「はねのけて、さからって、先を見ろ、真波山岳《まなみさんがく》!!」
自分で自分の名前をよんだ。そして、しっかりとゴールに向かって顔を上げた。

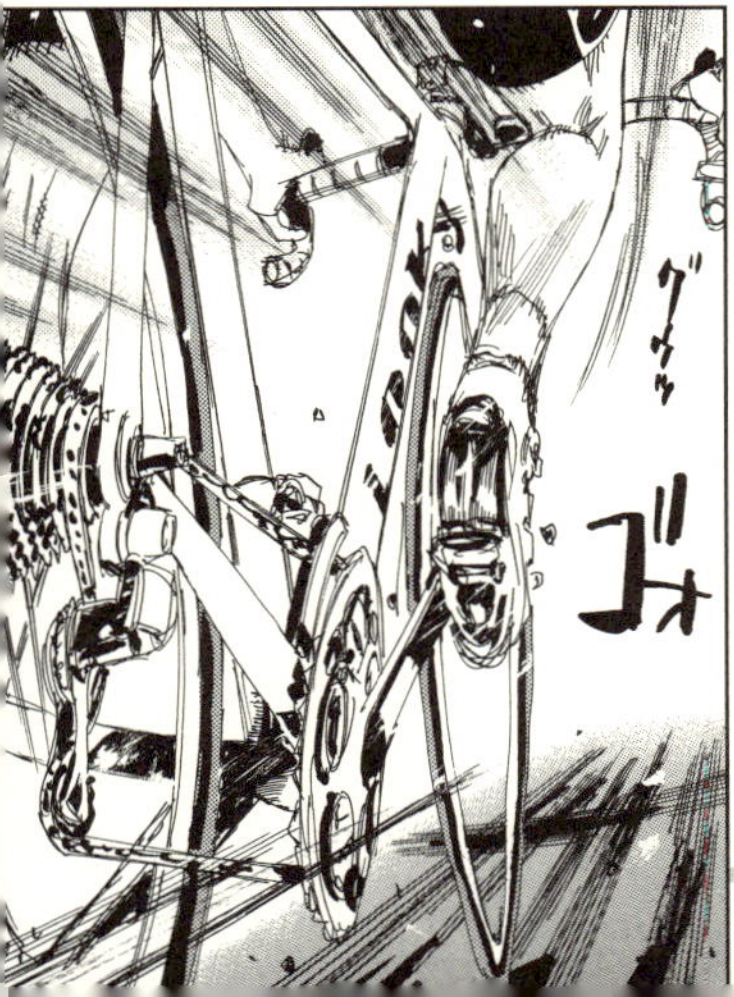

イケるはずだ!!　オレが今、イケるって感じてるんだから!!
信じていけぇぇ！
くつうをのりこえて、つぎのステージにいく〝力〟は自分の中にある!!

うああああああ
いっけ
まわれぇぇ!!　いけぇ!!

残り一キロ!!

また羽根《はね》が広がったように感じた。
観客《かんきゃく》がトップの自転車を待っている。

「きたぞ、先頭ォォ」

「やっぱり王者、箱根学園《ハコガク》!!」

「今、光の羽根《はね》が見えなかった⁉」

「うそっ」

真波《まなみ》はトップをキープしたまま「LAST《ラスト》 1km」と書かれた、まくをくぐった。

「一瞬《いっしゅん》、失速《しっそく》して。でもまたすぐに加速《かそく》したぜ、あの6番」

「トップを走る選手《せんしゅ》は、こういうきょくげんの中で強くなるんだ」

と通《つう》の自転車レースファンがいろめきたった。

真波の快走《かいそう》に大歓声《だいかんせい》がまき起こった。

「来たぞ。青いジャージだーー!!!」
「ハコガクだーーっ!!」
その声が聞こえて、真波《まなみ》の気持ちは高まった。

気持ちいい!!
緑も、空も、はなやいで見える!!
足も、うでも、背《せ》すじもいたいから、
いたはなやいでいる、って感じだ!!

沿道《えんどう》のだれかが、
「決まった。今年の優勝《ゆうしょう》は、
やっぱり王者・箱根学園《はこねがくえん》だ」
と言った。

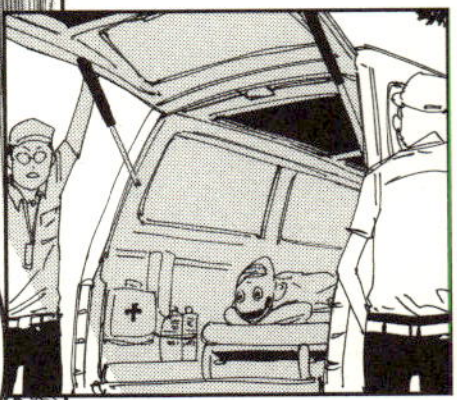

御堂筋《みどうすじ》の予言《よげん》

リタイアした御堂筋《みどうすじ》は、救護《きゅうご》テントに運ばれてきた。すぐさま救護スタッフが、

「だいじょうぶか。くつをぬがせてあげて。意《い》識《しき》あるのか？」

と声をかける。御堂筋は、その手をじゃけんにふりはらった。

ラジオからは、レース実況《じっきょう》が流れている。

「伝統《でんとう》のレースは、残り一キロを切りました。先頭は6番、箱根学園の真波選手《まなみせんしゅ》。えいこうのゴールに向かってつき進んでいます！」

とアナウンサーの声が聞こえてくる。ラジオを見つめながら、御堂筋《みどうすじ》はつぶやいた。

「マァナミが先頭――残り一キロ、後続《こうぞく》は総北《そうほく》……。ブタ泉《いずみ》はもう走れないから、という

ことは追っとるのは、

サカミチィ。

追走《ついそう》で先頭に追いつくだんかいで、マァナミをつぶしておかんといかん、というボクの

策略《さくりゃく》は正しかった。

つぶせなかったけどもな……。

キモ……なにキモイことやっとるんや、サカミチィ。負け――やな。確定《かくてい》や。このまま

ならな。

サカミィチィ」

ベッドに横たわった御堂筋はベロンとしたをのばした。

そのころ坂道は、そんな御堂筋の気も知らず、

ぐるぐるぐるぐるぐるぐるぐる
ぐるぐるぐるぐるぐるぐるぐる

ペダルを回しに回していた。ないてもわらっても最終局面《さいしゅうきょくめん》なのだ。

ところが、

「見えない！
残り一キロのゲートをくぐったけれど、真波《まなみ》くんが見えない!!」

真波はすでに、一つ先のコーナーを曲がっている。だから、坂道には見えないのだ。

ヒメェッ!!!

鳴子《なるこ》くんから教わったツークリックダンシング※をしてるけど、追いつかない!!

※ツークリックダンシング…ギアを２だんかい、重くして、立ちこぎをする運転技法

どうする……どうする……どうすれば。
このじょうきょうをどうにかできるのはボクしかいないんだ。
ヒメ
ヒメなのだ‼

坂道は大声でうたいながら、自転車をかたむけてつぎのコーナーに入っていく。そして、
コーナーの出口で、

「見えろ！　見えろ！

真波《まなみ》くん！」

とさけんだ。

「見えない‼」

あと、つづらおりを何回かおれ曲がれば、もうゴールが来てしまう。

「残り八百メートル！」

と沿道《えんどう》からの声が耳に入った。

「がんばれ総北《そうほく》！　あと少しだぞ」

二位《い》を走る黄色いジャージにおうえんの声が飛ぶ。

「二番手の選手《せんしゅ》、苦しそう」

と、だれかが言った。


「先頭が見えない！」

と、坂道は下を向いた。こぐしかない。ペダルをふむしかない。

見えろ　見えろ　見えろ
息《いき》はもうあらい。でもそんなことは言ってられない。

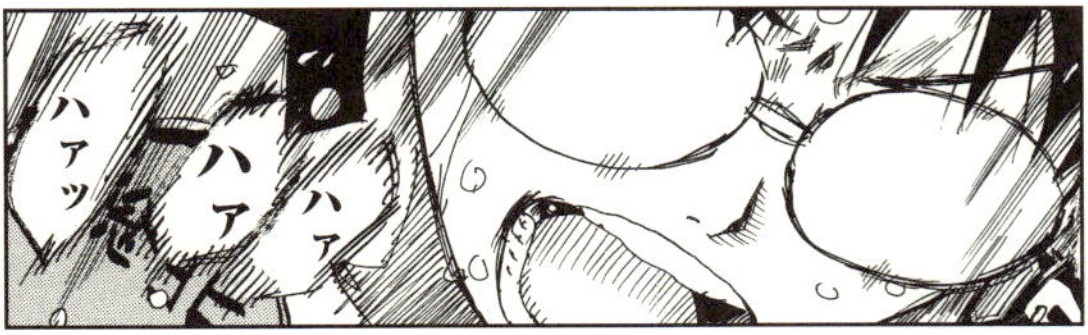

ハッ　ハッ　ハッ　ハッ　ハッ　ハッ　ハッ　ハッ

ヒメッ　ヒメッ　ヒメッ　ヒメッ　ヒメッ　ヒメッ　ヒメッ　ヒメッ

まだキミに追いつきたいんだ!!　真波《まなみ》くんーーー

見えろ!!

遠くに、チラッと黒いかげが見えた。

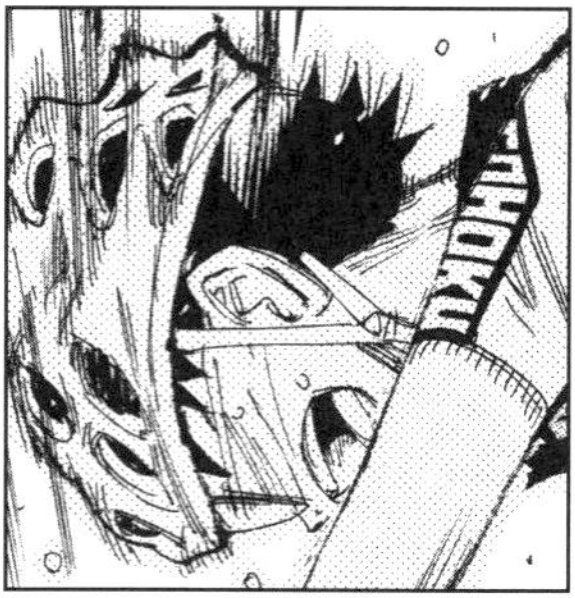

ゴールを待ちわびる大歓声《だいかんせい》の中、ベテランの観客《かんきゃく》がぽつりと解説《かいせつ》していた。

「たいていの選手《せんしゅ》がそうなんだ。最後《さいご》にマメみたいに小さく先行車の背中《せなか》が見えても、その差《さ》にがくぜんとしてペダルをふむ足が止まるんだ。176番もおそらくそうだろう。見なよ。顔をふせて、苦しそうだ」

えた……。
見えた。

「見えたよ、真波くん‼」
そう言うと、坂道はにこりとわらった。そのえがおをしっかりと前に向けた。
そのことを知らない御堂筋《みどうすじ》は、救護《きゅうご》テントでつぶやいた。
「マァナミ、気をつけや
あの男、懸命《けんめい》になって走るより
わろうたときのほうが速《はや》いで」

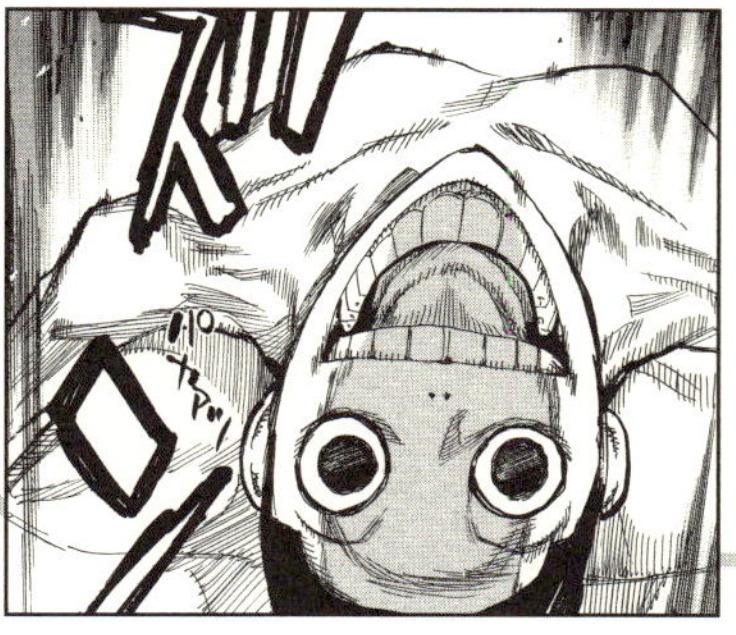

先頭を行く真波《まなみ》の耳に
「わぁぁぁぁぁああああああああああ」
と、ひときわ高い歓声《かんせい》がひびいた。それも自分よりうしろから聞こえた。自分への歓声ではないから、真波は、

!?
なに?
とふりかえった。

歓声?
ってことは…キミ?
坂道くん?
近づいてる?

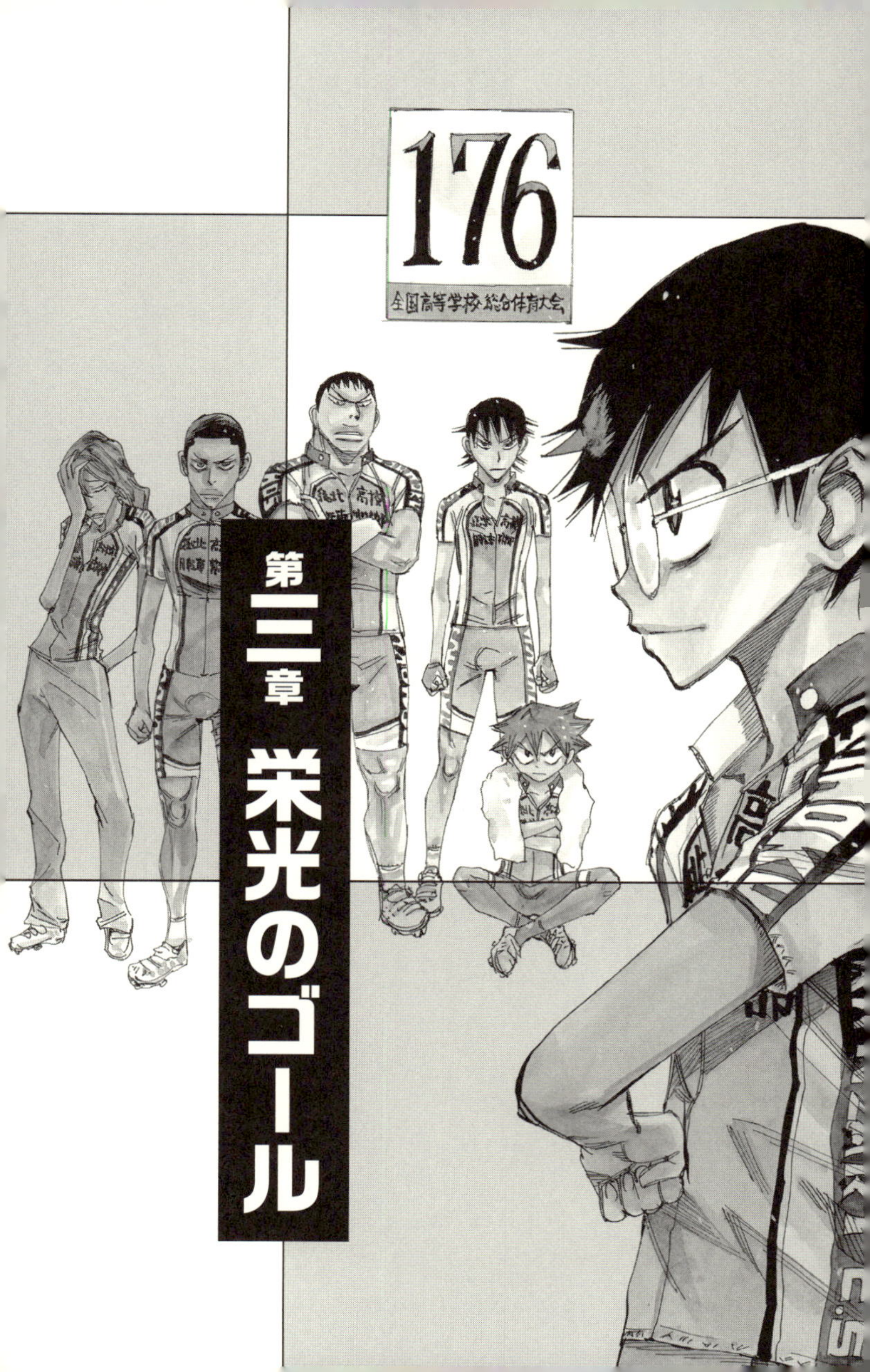

176
全国高等学校総合体育大会
第三章 栄光のゴール

坂道を登る坂道

「ゴールまで七百メートル！」
沿道《えんどう》の観客《かんきゃく》が、こぶしをつきあげて黄色いジャージの坂道をおうえんし始めた。
「ガンバレ！」
「苦しそうだけど!!」

ヒメェ!!!

坂道にはついに、真波のすがたがまめつぶのように見えた。それをきっかけに、坂道にえがおがもどった。

あれ？

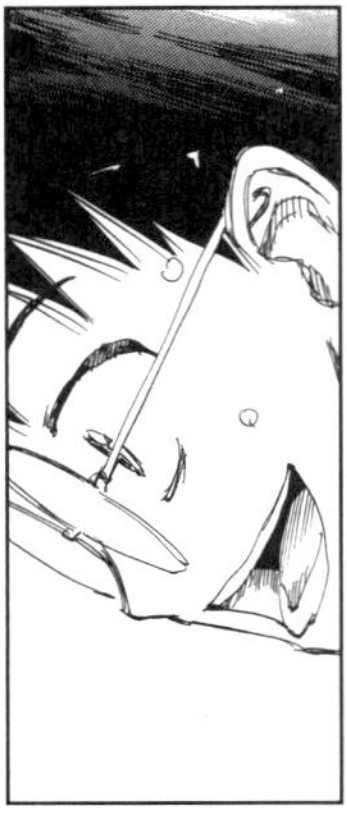

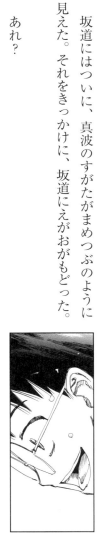

ほんの少しだけど足が……、
足が軽くなった。

ぐるぅん

ぐるぐるぐるぐるぐる　ぐる
ぐるぐるぐるぐるぐる　ぐるぐるぐ
るぐるぐる　ぐるぐるぐるぐる
ぐる　ぐるぐるぐるぐるぐる

回る‼　回る‼
ふしぎだ！
心臓《しんぞう》がいたくて、足もギシギシいってるのに

足が回るよ、真波《まなみ》くん!!

つぎのカーブをぬけると、また真波《まなみ》のうしろすがたが見えた。

少し近くなった。
あ!!
また軽くなった!

「総北《そうほく》、きょりをちぢめてきたァ!!!」
沿道《えんどう》のおうえんはドッとボリュームをましました。二位《い》の自転車が、一位との差《さ》をつめ始めたのだ。

ゴールまで六百メートル!!

うそだろう、すげえ!!

近づいてる!!
真波は背中《せなか》でその空気を感じていた。
キミとは決別《けつべつ》したはずだ。
十だん《トップギア》目に入れて――
なのになぜ――!!!
オレのギアは十だん《トップ》のまま。オレの速度《そくど》はかわらない――っ
てことは、
キミが追い上げてきてるのか!!

「見える、背中が!!」
坂道はたのしそうにわらっていた。

ぐるぐるぐるぐるぐる

「近づいてる、うれしい!!　真波《まなみ》くん!!!」

真波が回転数をぎせいにした重いギアで、最高速《さいこうそく》をのばす。一方で、坂道は軽いギアでぐるぐると一回でも多く回してケイデンスの数で勝負《しょうぶ》する。スタイルがまるでちがう二人が、同じ坂で闘《たたか》っている。そして、差《さ》がなくなっていく。

「おい、総北《そうほく》が来たぞ!」

観客《かんきゃく》は「うおおおお」とさけび始めた。そのさけびがいっしょになって真波を追う。

バン

坂道の自転車がガードレールにあたった。

「あれ、今、なにかにあたったかな。手がしびれてる。まぁいいか‼」

バン

観客も気づいた。

「なんだ、今、かべに当たったぞ！」

あたってもいい。ボクはまっすぐに走って、真波くんのところへ。早く、早く、まっすぐに行くんだ！

ガン

坂道が、ガードレールに三回続《つづ》けてぶつかると観客がさわいだ。

「わかった、あいつ、前しか見てねェんだ!!」
「つか、あいつ、自転車乗るの、へたじゃねェ!?」
「でもなんか、すげぇ!!」

坂道は、道のカーブにあわせてハンドルを切らない走法《そうほう》に変えていた。まっすぐなるだけ、まっすぐに走っている。まっすぐ走るといちばんみじかくてすむ。ショートカットして、最短距離《さいたんきょり》を走って、真波《まなみ》に追いつこうとしているのだ。だから少しくらいぶつかったってかまわない。

ワァァァァァァ!!!
すげぇ!!

歓声《かんせい》がひときわ高まった。真波の自転車の二メートル後方《こうほう》に、坂道の自転車の鼻面《はなづら》が近づいている。

すぐうしろまで来てる。
そうかキミは、まっすぐにオレのところに来てる――。

真波はチラリとうしろをふり返った。

わらってる！

真波は坂道のえがおを見て、おどろきをかくせなかった。

たのしんでる！
坂道くんはそのほうがかくだんに速《はや》い。

本当は、
キミはそうやって速《はや》くなるのか‼

そこへ、坂道が、

「ああああああああああああああ」

わらいながら、大声をあげてペダルをふんでくる。

その声も、真波《まなみ》にも聞こえてくる。

坂道は、
さっきから頭の中で『恋《こい》のヒメヒメぺったんこ』がとまらない！
と思った。
うたっている。うたいながら、ペダルをふむ。

♪おおきくなぁれ　まほうかけても♪
♪ラブリーチャンス　ペタンコチャン♪
ヒメは
ヒメなの
ハイ‼

ヒメなのだ‼

その瞬間《しゅんかん》に、二台
の自転車はならんだ。
ついに坂道は先頭に
追いついたのだ！

ファンがさけんだ。

「総北《そうほく》の最後《さいご》の一人が、箱根学園《はこねがくえん》にならんだァ！」
「すげっ」
「どたんばで追いついたァ!!」
「残りは……インターハイ、最後《さいご》のゴールまで五百メートル!!!」

競走しよう

「順位《じゅんい》はどうなってんだ？　ちっともアナウンスがないぞ!!」と手嶋《てしま》がさけんでいる。

こちら、富士山須走口五合目《ふじさんすばしりぐちごごうめ》に設置《せっち》されたゴールライン付近《ふきん》では、さっきから総北の補給部隊《ほきゅうぶたい》がイライラしていた。

「残り一キロのところで箱根学園《ハコガク》の6番が先行して……そのあとがわかりませんね」と杉元《すぎもと》が答えた。

「おーい、こっちからコースが見えるぞ！」と青八木《あおやぎ》が手をふっ

た。ちょうどみんなが待機《たいき》している場所からコースをはさんで反対側《はんたいがわ》だ。

そこはがけの上で、木々《きぎ》の間から眼下《がんか》にコースがチラリと見おろせる、という場所だ。

アナウンスがなければ、目で見ればいい、とばかり、総北のメンバーはがけの上に向かった。

杉元は「ボクは二位《い》でもせめませんよ。小野田は小野田なりにがんばったと思うんです。ハコガクは強いですから――!!」と言いながら、走り出した。

その杉元を追いぬかしながら手嶋は言った。

「あきらめんな、あきらめんな、小野田！

オレが証言《しょうげん》する!!　おまえの追い上げは一級品だ!!」

マネージャーのミキもいっしょにコースをわたった。

「どうだ？」

四人はがけから見おろして、立ちつくした。目にした風景《ふうけい》に、手嶋《てしま》が、

「杉元《すぎもと》‼　バカヤロウ、まだレースはおわってねぇ！」

とさけんだ。つづら折りの二だん分くらい下を自転車が二台、走っているのが見える。

「小野田くん‼」とミキが思わずむねに手をあてた。

「小野田は、箱根学園《ハコガク》の真波《まなみ》に追いついてる‼　全身全霊《ぜんしんぜんれい》で、まっ先にジャージをとどけようって走ってるよ‼」

と手嶋がさけんだ。

「残りゴールまで五百メートル、両者、ならんでる‼」

坂道は、真波に自転車をならべかけると、こぐ足を休めずに声をかけた。

「追い……ついたよ、真波くん」

「すごいや」

と真波は返した。二人とも、つかれがピークなのに、どこかわらっているような表情《ひょうじょう》をした。

いよいよ二台は真横にならんだ。

その両側《りょうがわ》からのファンの歓声《かんせい》がものすごい。

「ならんでる！　まだならんでる‼」

「いけーーーっ」

「最《さい》後《ご》まで回せーーーーっ」

真波が話しかけた。

「ボロボロだけど……、体がバラバラになりそうだけど、やる？　勝《しょう》負《ぶ》」

「え？」と坂道は目をまるくした。

「ここから五百メートル先。このつづらの先の道の終わりにある大きなゲート……。そこを先にくぐったほうが勝ち——だ」と真波《まなみ》はにっこりとわらっていた。

あ。

その表情を見て、坂道は、初めて真波と競走《きょうそう》した坂のことが、えいがでも見ているかのように思い出された。〝あのときの感じ〟がはだがふるえるほどによみがえった。

静岡合宿《しずおかがっしゅく》のとき、二人はひょんなことからサイクルスポーツパークの登り坂で、ならんで走ることになったのだった。そのとき、真波が坂道にいきおいよく聞いた。

「じゃあさ、出る？　今年のインターハイに！」

「いや、それはたぶん、むり」と坂道は答えた。

「なんだ、出ないのぉー!?」と真波がくちびるをとがらせた。

ほかにすごい人がいるからね、と、坂道は心の中で思った。今泉《いまいずみ》や鳴子《なるこ》の顔がうかんでいた。

それをとちゅうでかき消したのは、「なあんだ、つまんないなあ」という真波の声だった。

え？

「だってさー、キミ、こないだ会ったときに坂が好きだって言ってたでしょ。オレも坂が好きだから、インターハイでいっしょに走れたらたのしいかなって思ったんだけど」

そう言って、ニーッと目を細めて、坂道の顔をのぞきこんだ。

あまりにくったくのない素直《すなお》なえがおだったので、坂道はぎゃくにてれた。いつものくせでなにか言わなきゃとあせって、思わず言葉が口をついて出た。

「じゃあさあ、せっかくだからさ、あの坂の上まで競走しようか！」

坂道は、坂の上を指さした。

「いいね！　たのしい企画《きかく》だ！　いこっ、いこっ、いこっ」

そうして競走《きょうそう》したのだった。はじめていっしょに走るのに、二人の心は、一つにつながっているような気分だった。だれかと走るとたのしい、と坂道は思った。そのころの坂道はまだクリート※のないふつうのスニーカーだった。

真波《まなみ》は坂道にこんなことも言った。このレースの最中《さいちゅう》だ。初日《しょにち》だったか、二日目だったか。

「ぜったいに山まで来て。そうしてもう一度、本当の勝負《しょうぶ》をしよう」

「今はできないけど、インターハイで最後《さいご》の一滴《いってき》までを争うような闘《たたか》いを!!　やくそくしよう」

そうだった。

二人には、いろんなことがあった。真波がここまで引っぱってきてくれたのかもしれなかった。

※クリート…ペダルと自転車専用シューズを固定する部品

そんなことが坂道の頭をよぎった。
目をパッと開けると、

「うん。やる。競争しよう。真波くん」
と、坂道は力強く答えた。

夏の空。
そこにいちばん近い場所まで。
二人は目を見合わせニコッとした。
それが合図かのように、真波がふんだ。

「動いたァ!!　ハコガクが出る!!」

観客《かんきゃく》がさけんだ。

真波《まなみ》が先にスパートした。これまでもそうだった。
いつもそうだった。真波は万感《ばんかん》の思いをこめてペダルをふむ。
坂道くん
オレは山頂《さんちょう》への道はいつもこどくだと思っていた。

でも今日はちがう。
キミがいる。

動けよ　もてよ、
足ィイ!!
限界《げんかい》まで、みゃく打《う》て
心臓《しんぞう》オ!!

真波は風にのった。坂道をはなそうとする。最後《さいご》の最後のバトルだ。

「あああああああああああああああああああああああああ」
と坂道はさけんだ。

ぐるぐるぐるぐるぐるぐるぐるぐるぐるぐる

回れぇぇ!!

「総北《そうほく》!!　なんだ、あのケイデンス!!」

ファンがまた歓声《かんせい》をあげる。

「あああああああああああああああああ」

坂道は地面を見たままペダルを回している。

一分間に百回や、百十回や、それ以上《いじょう》回して、
直線で追いついた。

「また、ならんだァ」


真波はチラリと坂道の自転車を見た。ググッ、ググッとならんでくる。

ハァ、ハァ、ハァ、ハァ、ハァ、ハァ、ハァ、ハァ、ハァ、

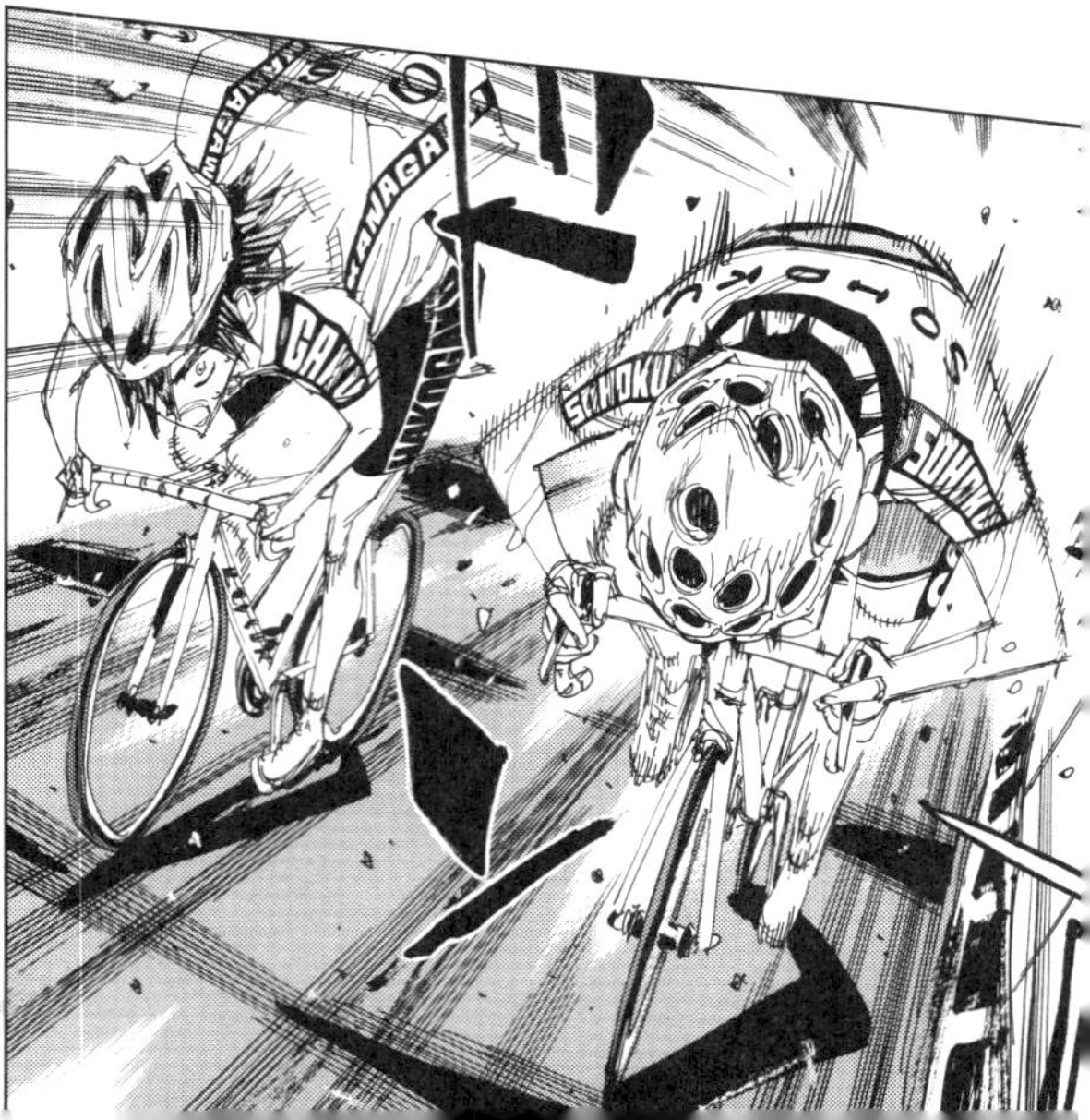

ハァ、ハァ、ハァ、ハァ、ハァ、ハァ、ハァ、ハァ、ハァ、

二人とも絶叫《ぜっきょう》してペダルをふんだ。苦しくて、みけんには、たてにキツいしわがよった。

「ああああああああああああ」

「そおおおおおおれぇぇぇ!!!」

二台とも加速《かそく》!! 斜度《しゃど》が十度もあろうかという、かべのような上り坂なのにすっ飛んでいく!!

「残り三百五十!!」

「両者全開《りょうしゃぜんかい》だ!」

「どっちがとるんだ、山頂《さんちょう》ゴール」

「ゴールまでつづらおり、あと二本だ!」

観客《かんきゃく》は手にあせをにぎった。

ゴール前で待ちかまえるレースファンも、さっきからざわめきがとまらない。二台の自転車はまだ見えない。しかし、すぐそこまで近づいていることは場の空気でわかる。

レースコースと道をへだてるフェンスぞいですずなりになる群衆《ぐんしゅう》の中で、

「もうすぐ選手《せんしゅ》が見えますよ、おばさま」と、委員長《いいんちょう》・すずこが言った。

「あらホント?」と、レースにはうとい坂道の母が答えた。

「ほら来たわ。見えましたよ、あれがさんがくくんです!!」と、すずこは両手をむねの前でぎゅっとにぎった。

「いつもボーっとしてて、ちこくばっかりしてて、授業中《じゅぎょうちゅう》もいねむりしてて、プリントもぜんぜんやらなくて……」

真波《まなみ》は、

「限界《げんかい》まで、みゃく打《う》てぇぇぇ!! オレの心臓《しんぞう》ォ!!!」

と、さけびながら、風をまき起こして最後《さいご》の坂を登る。

自転車に乗った日

「さんがく!!」

宮原《みやはら》すずこは、真波《まなみ》が坂を登って近づいてくるのをジッと見ていた。いつもは新幹線《しんかんせん》が通りすぎるほど速《はや》く感じるのに、今だけはとてもゆっくりと近づいてくるように思えた。

手をぎゅっとにぎっているうちに、むかしのことを思い出してきて、むねがしびれてきた。

「すごい、伝わってくるよ、あなたの心臓《しんぞう》の鼓動《こどう》——」

それは小学生のころだった。真波は欠席《けっせき》の多い生徒《せいと》だったのだ。すずこと真波は家がとなりあわせだから、学校を休んだ真波のプリントと給食《きゅうしょく》のパンをとどける役目をすずこがしていた。

ある日のこと、すずこは自宅《じたく》の二かいのベランダから、まどごしに見える真波に話しかけた。真波はゲームをやっていた。

「あんた、また学校を休んだのね」

すずこの声に気がついた真波は外を見た。二人は目があった。真波は、

「うん。少し熱があるから、外はやめときなさいって」と説明《せつめい》した。

「そんなんじゃ、強い子になれないわよ。おとなりさんとしてこのさい、はっきりと言わせてもらうけど、この間も球技大会《きゅうぎたいかい》を見学してる。ゲームばっかりやってるからそういうことになるのよ」

小学生のとき、真波は体がよわい男の子だったのだ。

「うん。でも本当は好きじゃないんだ、ゲーム。ほら、ゲームの中なら剣《けん》でさされてもいたくないいんだよね」

「あたり前でしょ？　そこがゲームのいいところで、そういうのをたのしむためのもんでしょ？」

「剣でさされたいたみって、どういうのだろ？　わかる？」

「は？」

「委員長《いいんちょう》ってさ、ふだんから、『生きてる』って感じる？」

「は？」

真波《まなみ》くんってやっぱりへんな子だなあと、そのとき、すずこは思った。

それからしばらくたったある日のこと、すずこは、真波をサイクリングにさそったのだ。この男子を外につれださなきゃと思ったのだ。サイクリングはふつうの運動とはちがって、休んでいても前へ進むから負荷《ふか》が少ない。なので、体のよわい真波にもできそうに思えたのだ。

真波はレンタル自転車屋さんで、よりによって競技用《きょうぎよう》のスポーツバイクをえらんだ。ハンドルの

位置《いち》が低く、前かがみで乗らなければいけないので、とても乗りにくそうだ。

あんのじょう、真波はこぎ出してすぐにころんだ。それでも、「これ、フツーの自転車とちがう！　すごい！」と夢中《むちゅう》になっていった。

二人で、上り坂をこいでいても、道中で真波はすぐに息《いき》が上がった。

ハァッ、ハァッ、ハァッ、ハァッ、ハァッ、ハァッ、ハァッ、ハァッ、

すずこが先を行き、真波はどんどんおくれていく。たまりかねて、すずこがペダルをふむ足を休めて待とうとしたら、「いいから行って、そのまま！　追いつくから」とうしろから真波が苦しそうに言った。すずこは心配したが、真波は「かならず、追いつくから！」と坂の上を指さしてこぎ続《つづ》けていた。

そして、

「あるんだ！　つかめそうなんだ……。オレが求めてたいたみが！」

と言った。

そのひっしのまなざしに、すずこはドキッとした。

結局《けっきょく》、その日、真波《まなみ》はすずこに一度も追いつかなかった。先に頂上《ちょうじょう》についたのはすずこで、しばらく待っていると、真波がぜぇぜぇハァハァしながらやってきた。真波は、すずこを見ると、安心したかのようにしばふの上にたおれこんだ。

「世界が回るね、委員長《いいんちょう》」

空を見上げながら、真波は満足そうに言った。

「わたしは回ってないわよ」

真波は、

「つぎはさ、あの、箱根山《はこねやま》に行こうよ」と、けしきの向こうに見える山頂《さんちょう》を指さした。

「行けるわけないでしょ、なに、言ってるの⁉」

「坂の先にはあると思うんだ。ぜったい……生きてるって感じが。ね？」

と、真波はしばふにねころんだまま、すずこの目を見て、

「きっと行けるよ……」

と言うから、すずこはむねがドキンとした。

いっしょに行ったサイクリングはその一回だけだった。しかし、この日をきっかけに、真波はすっかり自転車が好きになった。いつしか体もじょうぶになり、となりの家から引っこしていった。

高校でまた同じクラスになった。真波《まなみ》は自転車部に入っていた。

「委員長《いいんちょう》、勝負《しょうぶ》しようよ、今度は負けないから。すっげぇ練習してるんだ、オレ。だって委員長にだけは自転車で勝ったことがないんだ」

とわらうのだった。

「はぁ？」

「だってあの日の委員長、超速《ちょうはや》かった。たぶん世界一」

そう言う真波の目はいつもしんけんだった。

「ふーむ。あんたがちこくグセを直したら、やってあげる」

「うっわ、それはムリ！」

標高《ひょうこう》二千メートル、富士山五合目《ふじさんごごうめ》のひんやりした風にふかれながら、すずこは、そんなことを思い出した。

ねェ、さんがく、わかってる？

わたしのこと、見ているようでぜんぜん、見てないんだから。
オニギリだって、わたせないくらい、遠くに行っちゃって。
だけど、ちゃんととどいているよ。
あなたが言ってた、生きてる、って感じ。
だから、わたしもとどけるわ、メッセージ。

「勝って、さんがく！」

と、すずこは大声でさけんだ。
ちょうどその目の前を、ゼッケンナンバー6の青いジャージをはためかせ、真波が通過《つうか》していった。

「委員長？」

と、真波《まなみ》は気がついた。

「まけたら、おこるからね!!」

と、あっという間に通りすぎた背中《せなか》に、すずこはもう一声さけんだ。

すぐに、二位《い》を走る黄色のジャージの選手《せんしゅ》が来た。

今度は、坂道の母がハッとした。母ははっきりと二位を走る選手の顔を見た。メガネをかけてた。目をつり上げて、歯をかみしめている顔だった。

「さかみち?」
ぐうぜんの同姓同名《どうせいどうめい》じゃないわ…
あなた、なんでそこにいるの?
あなた、なにやってるの?

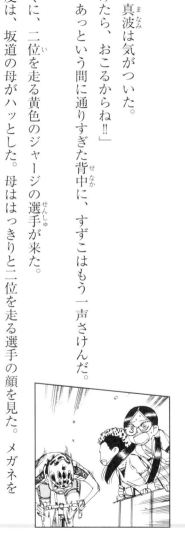

あっけにとられて、坂道の母は口をぽかんと開けた。しかし、すぐに、

「けれど、一生懸命《いっしょうけんめい》やっているのなら」

母はバンバンとフェンスをたたいた。

「がんばりなさい、坂道!!」

「はい!!」

と、坂道はそれに答えた。

「え、ひょっとしておばさま」とすずこがおどろいた。

「むすこよ!!」

母は坂道の背中が遠ざかっていくのをいつまでもじっと見つめた。

まかされたのね。なにかとても大切なことを。

坂道。

旅館《りょかん》にいたにぎやかな赤い頭の子に？

まじめな顔の部長《ぶちょう》さんに？

それともケータイの写真で見せてもらった目の細いお友だち？

いいえ、みんなにかしら。

それならそれをうらぎらないように走りなさい。

きっとあなたのことを信じてのことなのだから。


「あの……えっとぉ、おばさま？　ひょっとして息子さんて……さっき話された？　その人が今のメガネの……？」

「そうよ!!　高一の!!　なんでか知らないけど、走って行ったわ!!　自転車で!!」

「ひゃーーーー。ロ……ロードバイクに……乗るなんて言ってなかったじゃないですか～」

「わたしも今、知ったわ!!」

「えーーー」

「ずっとアニメ研究部《けんきゅうぶ》だと思っていたから!!」

「ひぇーーーーっ」

「なんだか、ピチピチの服を着て走るのね」

「ジャージというらしいです」

「あせだくになって走るのね」

「そ、そりゃあ、いちばんになりたいから……ですよ！」

すずこと母は顔を見合わせた。

「一生懸命《いっしょうけんめい》、走っていたわ。あの坂道が、たくましくなった。

母さん、うれしいな」と母はすずこに言った。

ラストスパート

いるはずもないのに、母さんみたいな声がしたから、つい「はい」って言っちゃった。

母さん、もし見てたら、

「あぶないからすぐおりなさい!!」

と、言うのかな。
おりないよ、ボクは。
このハンドルははなさない。
このペダルもゆるめない。
ジャージをゴールにとどけるためにボクは
ここにいるんだから。

坂道がそう思ったとき、

「残り二百メートル!!」

と沿道《えんどう》から声がとんだ。思いのほか、はっきりと聞こえた。

「あと、つづら一本曲がったら、残りは直線だぞ」

最後《さいご》のコーナーを曲がる。真波《まなみ》は自転車三台分くらい前だ。

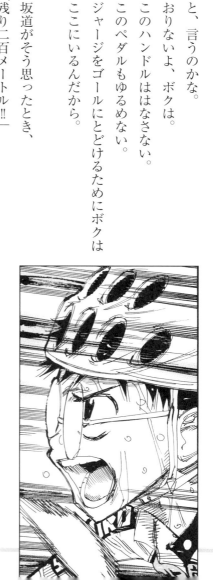

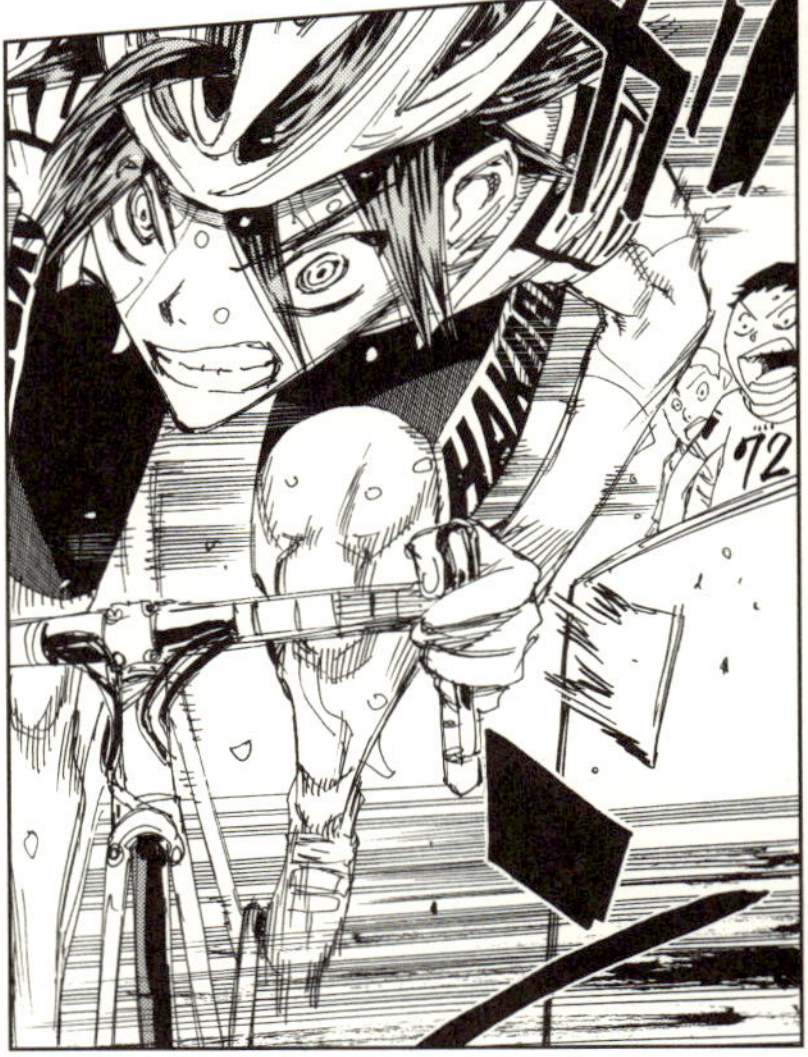

ガン！

曲がりしなに、真波の自転車が内がわのかべにヒットした。少しでも最短距離《さいたんきょり》を走るためだ。

「あたったぞ」

「ハコガクすげぇ！　速《は》ぇえ」

すぐさま、坂道。

「あとはゴールまでほぼ直線。ゴール前の立ち上がりだけだ」

「残り百八十メートル!!」

ハァ　ハァ　ハァ　ハァ　ハァ　ハァ

ぐる　ぐる　ぐる　ぐる　ぐる　ぐる

坂道ははげしく息《いき》をはき、どうなってもかまわないと思いながらペダルを回した。もう最後《さいご》だ。顔は苦しそうに下を向いている。両うででハンドルを思い切り引きつけながら、ペダルを回す。あせがうしろにピュンピュンと飛びちっていく。

坂道は苦しさのなかで、思った。

ぼうみたいだ、足が。
きんにくがいたい、ヒザから下がはずれそうだ。

回れ
回れ
回ってくれ
ゴールまでのほんのわずかなきょりの間だけ　回ってくれ。
むねがいたい。

心臓《しんぞう》、ゴールまで動いて！
みんなの顔がよみがえった！

「またならんだァ‼　残り百五十‼」

坂道は最終《さいしゅう》コーナーをぬけた先で真波にまた追いついた。ならぶ。真波はもうこっちを見ない。

「どっちが勝つんだよっ‼」

「どっちのジャージが今年のインターハイをとるんだ‼」

ワーーーっと大歓声《だいかんせい》の中を二台の選ばれし自転車が、選手《せんしゅ》が、行く。

真波はみけんにしわをよせて、こぎまくっている。そして思った。

かんたんじゃないよ、
なんだって。

だから全力でやるんだ。

「そおおおおおおれぇぇ
おあああああああああ」

真横にならばれた真波が、力の最後《さいご》の一滴《いってき》をふりしぼってペダルをふみしめる。どっちも負けない。

そのすがたに大歓声《だいかんせい》が起こり、声が雨のように二人にふり注いだ。

「残り百!!!」

「おい、どっちもすげぇ。二人ともげんかいだろ!!」

「つらそう!!」

「メッチャひっしだよ」

「やっぱ……ロードレースってすげぇ」


レースは間もなくおわる。くぐるべきアーチがはっきりと二人の前にすがたをあらわした。

「見えたゴール」と坂道がさけんだ。

「このキョリ！」と真波がさけんだ。

そして、こしを上げて、最後《さいご》のダンシング。

「二人とも立ったァ」

「始まるぞ、ゴールスプリントだ！」

と、観客《かんきゃく》が絶叫《ぜっきょう》した。

「とるよオレが！」と真波。

「ボクがとる！」と坂道。

ゴールに向かって、右に坂道、左に真波《まなみ》。デッドヒートだ。二台は真横で走っている。

ゴールのアーチがグングン近づいてくる。

「ゴールまで残り六十メートル‼」

「おらあああああああああ、山頂をとる！」

「ああああああああ、ジャージをとどける！」

二人とも、さけびながら、最後《さいご》のペダルだ。

「残り四十‼」

「まだ、ならんでる。こんなインハイ初めて見たぞ」

「総北《そうほく》！」

「箱根学園《はこねがくえん》‼」

「残りは、まっすぐ三十メートル!!!」

ラストスプリント

「マジか、泉田《いずみだ》」
そうつぶやいたのは、医務室《いむしつ》でベッドに横たわっている箱根学園《はこねがくえん》の荒北《あらきた》だ。そばについている泉田が話しかけた。
「起こして、すみません。最後《さいご》は真波が出て、残りわずかで総北の176番が追いついてならんでいるようです……もうじきゴールが決まります」
リタイヤしてねむっていた荒北は「ハッ」と遠くを見るような表情《ひょうじょう》になった。

真波と、小野田チャン、あいつらがゴールを争ってるだって？
おい、オレが集団《しゅうだん》から引っぱり上げて運んだ二人じゃねェかよ。

オレは、トンでもねーもん運んできちまったのか。

荒北《あらきた》がいなければ、この真波《まなみ》と坂道のラストバトルはない。一年生二人は大会三日目に、※広島県南工業《ひろしまくれみなみこうぎょう》の策略《さくりゃく》にはまって、大集団《だいしゅうだん》の中でちんぼつしそうになっていた。だから、「オレについてこい」と、二人をじごくの底から引っぱり出してきたのは荒北なのである。役目をはたした荒北は先にもえつきてリタイアした。

レースとはふしぎだ。レースとは、一度きりだ。レースとはちょっと先の未来がどうなるか、だれにもわからない。

荒北は思い返した。

「あのとき、言いかけてやめた言葉は、
『おまえら、どこまで行くつもりだ？』だったんだぜ」

※広島県南工業の策略…小説版 弱虫ペダル 10 巻参照

まさか、先頭でゴールまでたァな……。

「小野田チャンだけ、とちゅうにおいてきゃよかったかな」

空をあおぐ、地を見つめる

ゴールアーチが真波にも、坂道にも、ひとしく近づいてくる。

長かったレースがおわる。三日間もかけて富士山五合目《ふじさんごごうめ》のゴールまで走ってきた。


あと二十メートル！

あと十五メートル！


ひとこぎごとに、ゴールににじりよる。もう体中がいたい。心臓《しんぞう》がいたい。足がいたい。

その苦しみも、あとわずかで解放《かいほう》される。おわる。レースがおわる。

つらかった練習のことが頭をよぎる。がんばれよ、とおうえんしてくれた人の顔が一人一人思いうかぶ。

くじけそうになったとき、がんばれ、と声をかけてくれた人がいた。

坂道は、その声がまた聞こえた気がした。耳もとで、がんばれ、がんばれよ、おまえならできるよ、と。

GOAL《ゴール》

と書いてある黄色いアーチがもう目の前だ。

地面に引かれた白線が見える。あれだ。

あれを、こえる。

「残り十メートル!!」

「ハコガク、総北《そうほく》、ならんで入るぞ!!!」

「いけぇえええ!!!」

また一回り。ペダルが回る。
「小野田ァァァァ!!!」
「坂道ィ!!　回せぇえ」

「ゴールだ」と坂道はさけんだ。
「ゴール!!!」と真波《まなみ》もさけんだ。
ああああああああああああああ!
おぁあああああああああああ!

二人とも、体全部の力を使いはたしてふむ、
この最後《さいご》のペダル。最後《さいご》のひとふみまで。

ぐるん

「来いっ、来い‼」

ゴール前のフェンスにへばりついて、総北《そうほく》のひかえ選手《せんしゅ》が待っている。

手嶋《てしま》が、青八木《あおやぎ》が、杉元《すぎもと》が、ミキが身をのりだして、坂道にせいえんを送る。

「真波《まなみ》‼」

「真波キタ!!!」

「飛びこめ、ゴール!!!」

箱根学園《はこねがくえん》のひかえ選手も負けてない。真波に最後《さいご》の力をあたえようと力のかぎりさけぶ。

「あと五メートル!!!」

坂道は急にすべてがスローモーションになったように感じた。けしきが、ゆっくりととけるようにうしろに流れていく。聞こえてくるせいえんは空耳《そらみみ》のようだ。

みなさん！

みなさんの声が聞こえます。でも、すいません、ふり返ってこたえることはできません。

もうほとんど力が残っていないから、ボクにできることは一つしかないです。

みなさんにたくされたこの黄色いジャージを、せいいっぱいゴールにとどけることしかできないんです。

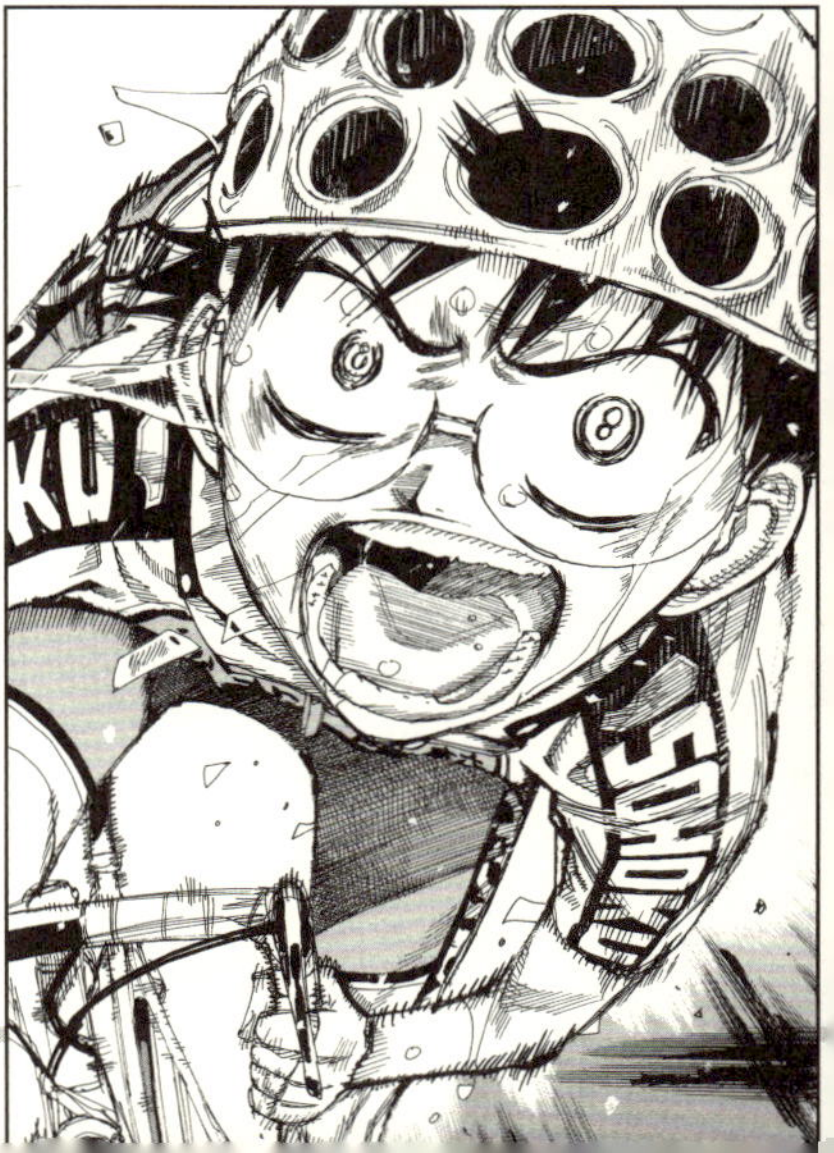

坂道はクッと顔を上げた。前を見た。
坂道も、真波も、より高くしりをあげて、体を前に乗り出した。ゴールラインを相手より前で、先で切るために。

「ワァァッ！」
富士山《ふじさん》に歓声《かんせい》がひびいた。
運命の瞬間《しゅんかん》をスピーカーが実況《じっきょう》した。
ワァァッ

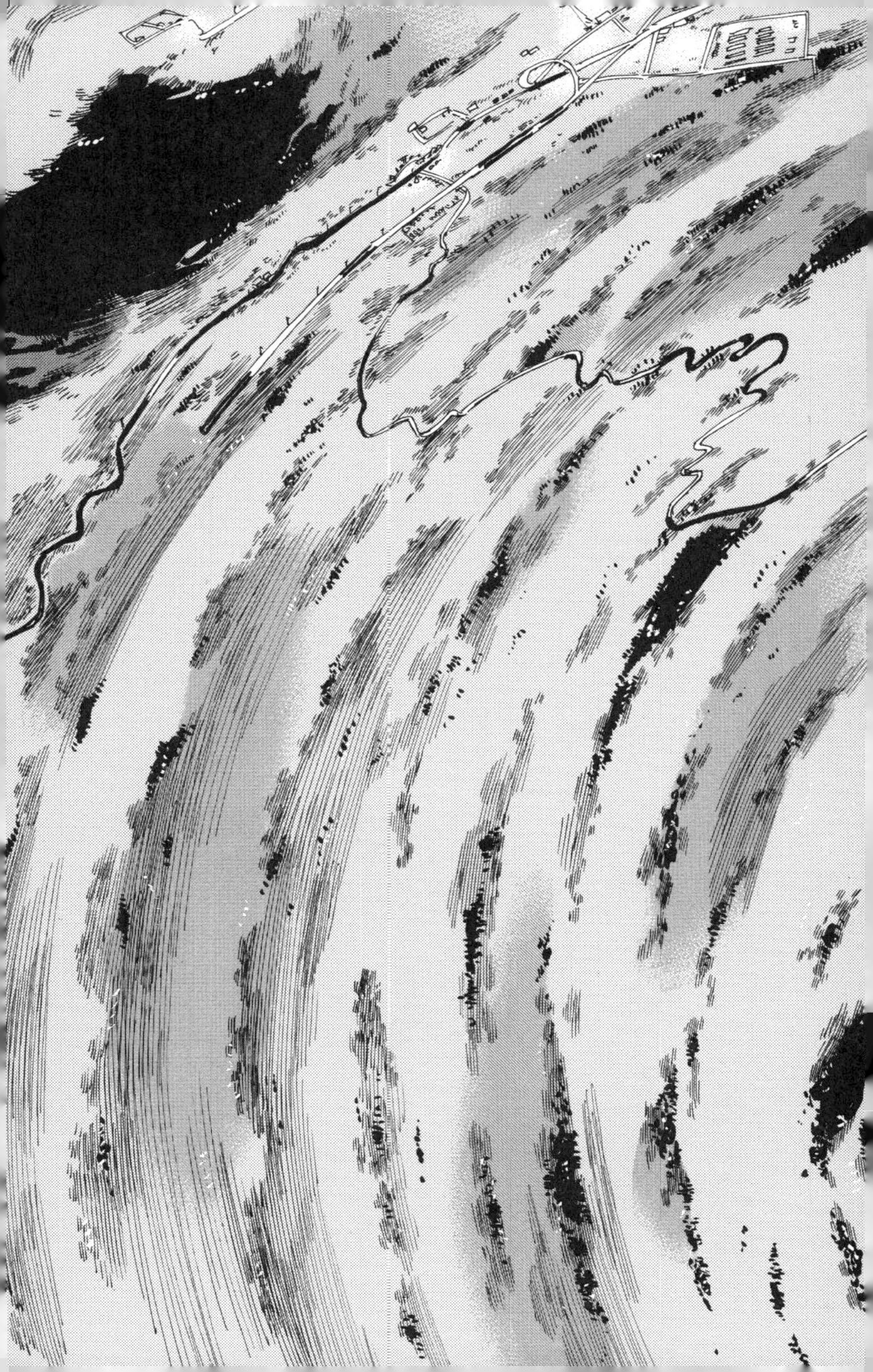

KANAGAWA
HAKOGAKU
LOOK

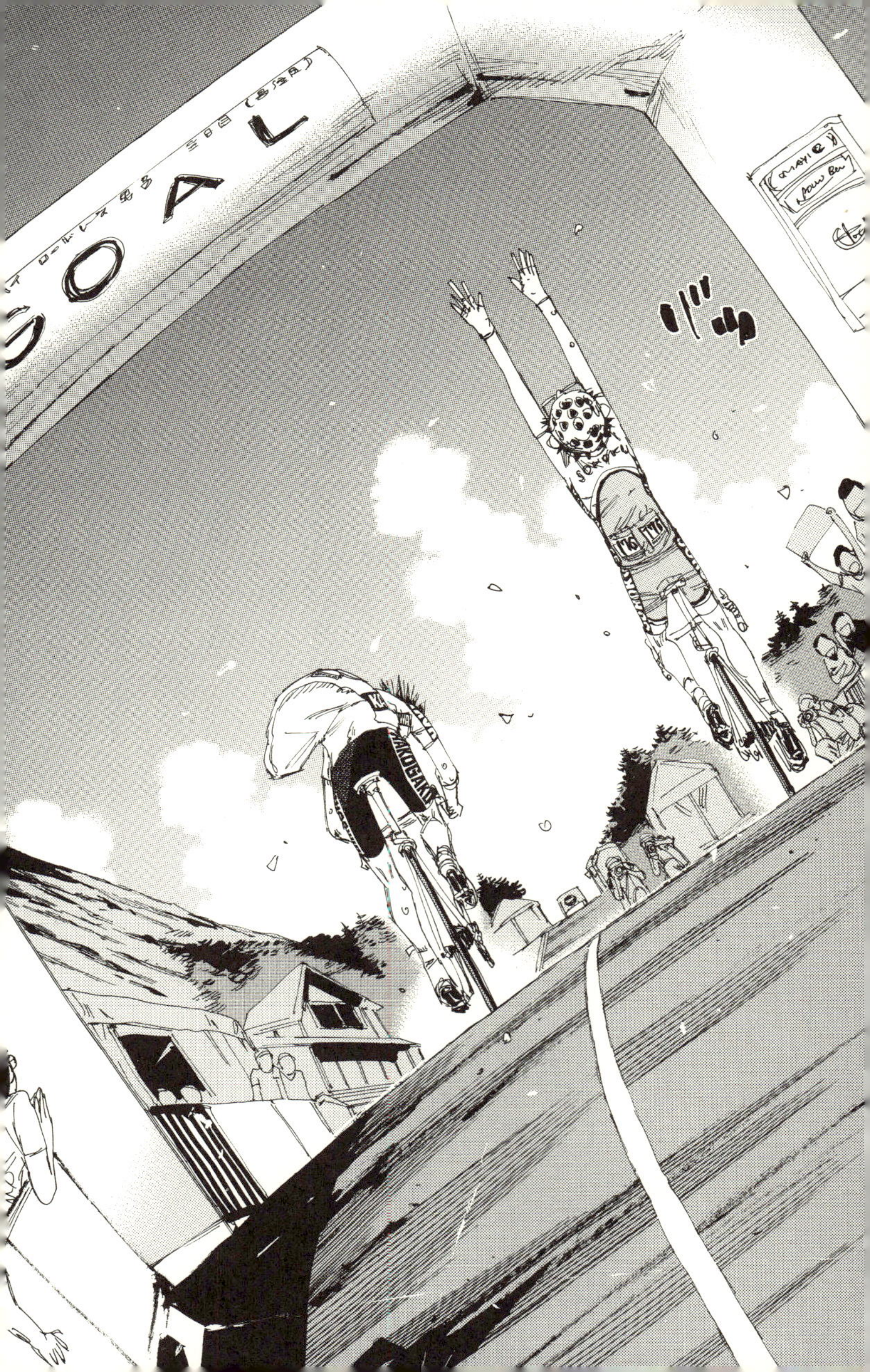
GOAL

「ゴォーーーーォーーーーーーーーーーーーーーーーール‼

三日目、最初《さいしょ》にゴールラインに到着《とうちゃく》したのは、176番、小野田坂道選手《せんしゅ》！」

「総北高校《そうほくこうこう》、インターハイ総合優勝《そうごうゆうしょう》ォォ‼」


坂道はゴールアーチをくぐりぬけるやいなや、スッと両手を空にあげてバンザイした。

坂道は空を見た。

真波《まなみ》は地面を見た。

坂道は、

「とどいたーーーーーー!!!」

と、なきながらさけんだ。その言葉がとっさに出た。

「ボクたちのジャージ」

医務室《いむしつ》のベッドでは金城《きんじょう》と鳴子《なるこ》がラジオを
聞いていた。ゴールの瞬間《しゅんかん》、二人とも信じら
れない、という表情《ひょうじょう》だ。

「くり返します。優勝は千葉県代表《ちばけんだいひょう》、総北高校。
インターハイ、初優勝ォォ!!!」
「三日目、富士《ふじ》の山岳《さんがく》ステージをせいしたのは176番、
小野田坂道選手！」

コースをへだてるフェンスを飛びこえて、手嶋《てしま》と
青八木《あおやぎ》がゴールしたばかりの坂道に向けて、われさ
きにとかけ出した。

二台の死闘《しとう》はおわった。決着した。

二人はもうペダルをふんでない。ふむ力はもうない。自転車はだせいで進んでいる。速度《そくど》がゆるりと落ちていく。二人は今にもたおれそうになりながら、しずかな声で話をした。

「……みち……くん。出し切ったよ。もうなにも残ってない」と真波《まなみ》が消えそうなくらい小さな声で坂道においわいを口にした。

「おめでとう、キミの勝ちだ。今、あくしゅしようと思ったけれど、手をあげる力が残ってないや」

「うん。あ、ありがとう。じつはボクもごめん。力がもうないや」

坂道も同じだ。指が開かない。

真波が、

「キミと……」

と最後《さいご》の力をふりしぼって、口にすると、あとを坂道がこたえた。
「……うん。走れてよかった」

そう言うと、力つきた二人はただ自転車をよせて、かたをゴンとぶつけあった。友情《ゆうじょう》のしるしに。

そこから、坂道は本当になにもできなくなり、自転車ごとたおれそうになった。全エネルギーがなかった。体がからっぽだった。

「小野田ァ!!」

と、手嶋《てしま》と青八木《あおやぎ》がたおれるすんぜんに自転車ごとだきとめた。

「小野田ー、よくやった。よくやったなあ、おまえってやつは！」

「すごいねキミは！」と杉元《すぎもと》がうしろから大声を出した。

「すごいどころじゃねーよ！　バカヤロー。あーー、オレも言葉が出てこねえ」と手嶋《てしま》もこうふんしていた。

坂道はただただ力がぬけてアスファルトにころがった。

「シューズ、ぬがせてやれ、青八木《あおやぎ》」と手嶋が指示《しじ》した。青八木がかがんで坂道のシューズをぬがせた。手嶋が坂道の力のぬけたからだをだきかかえた。そして、しみじみ言った。

「本当によくやったァ、小野田ァ!!」

息《いき》をするのがやっとの坂道が、はじめて言葉を発した。

「……あ。空。今日ってこんなに、晴れてたんですね」

霊峰富士《れいほうふじ》の稜線《りょうせん》がきれいに見えた。

坂道は富士山《ふじさん》の上の青空を見つめた。

つか……れた……。

ミキが、急いで坂道の手ぶくろをぬがせた。ミキは、
ああ、グローブも手もボロボロだ。
と思わず坂道の手をそっとにぎった。

小野田くん――

まっすぐ……前だけを見て、走ってきたんだね。

わたしにはとてもそうできないくらい、がんばって、強い意志で、みんなの思いをせおって、登ってきたんだね。

本当に……すごい……小野田くん。


と、何度も何度も坂道の手をさすった。

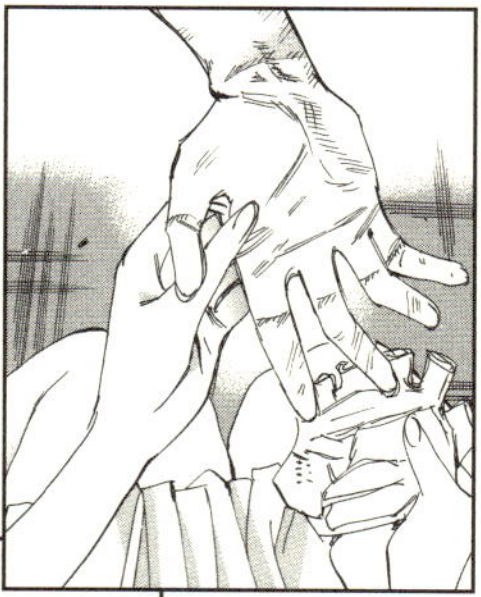

そこへ、
「最終日《さいしゅうび》三位《い》はやはりこの男、東堂尽八《とうどうじんぱち》、山神《やまがみ》、
箱根学園《はこねがくえん》、王者の意地！」
とアナウンスが聞こえてきた。
「そして四位はこちらも

王者、箱根学園不動のエース、福富寿一選手《ふくとみじゅいちせんしゅ》。箱根学園、二位三位四位でフィニッシュ！　続《つづ》いて、黄色いジャージが来ました。総北高校《そうほくこうこう》、巻島選手《まきしませんしゅ》が第五位、すぐうしろに同じく総北、今泉選手《いまいずみせんしゅ》！」
「かんっぜんに……足がオワッチまったたっショ」と、巻島がゴールラインをこえた。
すぐにヘルメットをはずした巻島の目にうつったのは、ぽかんと空を見上げる坂道が横たわっていて、そのまわりのメンバー全員がわらっている光景《こうけい》だった。

巻島は自分の自転車をすてさるように飛びおりると、両手をあげてジャンプして、坂道にだきついた。そして、今泉が続いた。今泉は、坂道のほおをかるくさわると、両手で坂道の体を持ちあげて、赤んぼうのように高い高い、をした。

坂道は、今泉の目を見ながら、

「とったよ」

とポツリと言った。今泉は坂道を持ちあげたままで言った。

「ああ、信じてた」

それを聞いて、坂道はゴールしてはじめて、にっこりとわらった。今泉が坂道をおろすと、巻島がかたをかした。坂道はすっかり安心したかのように、とつとつと話し始めた。

「巻島さん、苦しかったです。とちゅうで何度もとまろうって思いました」

巻島は坂道をささえる手に力をこめた。坂道はしゃべるのをやめなかった。

「でも、そのたびに巻島《まきしま》さんや、今泉《いまいずみ》くんや、みなさんの声と顔を思い出して、なんとか、
なんとか、ふみとどまったんですよ……」

カクン

そこまでしゃべったとたん、坂道は気を失った。

「かんたんじゃなかったことくらいわかってるよ……
ありがとよ、坂道」

巻島と今泉が、坂道をささえていた。

「小野田!!　小野田!!」

「マジでマジでもォーー、くあーーーッ、
小野田くーーん!!　やったで小野田くーーーん!!」

医務室《いむしつ》では実況《じっきょう》アナウンスを聞いて結果《けっか》を知った金城《きんじょう》と鳴子《なるこ》がかたを組んで、ボロボロと号泣《ごうきゅう》していた。二人はうれしなみだがいつまでもとまらなかった。

やがて、レースの正式リザルトが発表された。

インターハイ三日目　総合順位《そうごうじゅんい》

1	小野田坂道	総北《そうほく》	176	千葉《ちば》	
2	真波山岳《まなみさんがく》	箱根学園《はこねがくえん》	6	神奈川《かながわ》	0
3	東堂尽八《とうどうじんぱち》	箱根学園	3	神奈川	＋1分02秒
4	福富寿一《ふくとみじゅいち》	箱根学園	1	神奈川	＋1分23秒
5	巻島裕介《まきしまゆうすけ》	総北	173	千葉	＋1分41秒
6	今泉俊輔《いまいずみしゅんすけ》	総北	175	千葉	＋1分42秒

総北《そうほく》では最後《さいご》にゴールした田所が、うで組みしながら、満足そうにその結果《けっか》を見た。そして田所は「手嶋《てしま》、青八木《あおやぎ》、マネージャー、よくささえてくれた。うらかたの仕事、たいへんだったな、ありがとよ」と、まっさきにひかえ選手《せんしゅ》たちにねぎらいの言葉をかけた。

「おめーもだよ、杉元《すぎもと》!!」

表彰台《ひょうしょうだい》

「もうすぐ表彰式《ひょうしょうしき》だそうです」

という声とともに、白いテントの入り口が開いた。うすぐらかったテントに、一条《いちじょう》の光がさっと入った。

「真波《まなみ》……どこ行ってた！」

福富《ふくとみ》、東堂《とうどう》、新開《しんかい》の三人がギロっと見た。

あせでかみをボサボサにした真波が、箱根学園《はこねがくえん》の選手《せんしゅ》テントに入ってきた。

最初《さいしょ》は明るくにこやかにわらっていた真波は、一瞬《いっしゅん》地面に視線《しせん》を落とした。それから、福富の顔を見て、またえみをうかべようとしたがうまくいかず、表情《ひょうじょう》がギクシャクした。下を向いてキュッとまじめな顔になった。真波は両手をうしろで組んだまま、話し始めた。

「なみだがたくさん出たので、おさまるまで、けしきを見ていました」

ちんもくが流れた。だれもなにも言わなかった。

「負けました。ゴールすんぜん、彼《かれ》にわずかにリードをゆるしました。せっかく福富《ふくとみ》さんが最強《さいきょう》のチームを作ってくれたのに、オレが勝つことができなかったせいで、だいなしにしました。みなさんの走りも……」

そこで福富はいすから立ち上がると、

「真波《まなみ》」

と話をさえぎった。

「はい」

うつむいて、地面を見ていた真波は、福富の目をまっすぐに見た。するどい目をした福富が口を開いた。

「オレたちが二位――。その意味がわかるか」

「はい」

「王者は勝ててこそ王者だ。言いわけは通用しない。その中で走ってきた。今年はもうおわった。箱根学園《はこねがくえん》がやるべきことは、つぎのインターハイで勝利《しょうり》するほかない。そしてもう、つぎのインターハイに、オレたち三年はいない」

新開と東堂がこちらをにらんでいるのが真波にはいたいほどわかった。真波はぎゅっと手をにぎった。

福富がたずねた。

「真波、おまえに来年、その地位《ちい》をうばい返そうという強い意思《いし》はあるか!!」

「はい!!」

少し間があって、福富《ふくとみ》は真波《まなみ》のかたにガシッと手をおいた。

「かわいたジャージに着がえろ。行くぞ、最後《さいご》の表彰式《ひょうしょうしき》だ。努力《どりょく》…、チームワーク……、ボロボロになりながらオレたちをしのいだ総北《そうほく》の連中《れんちゅう》に、見事だ、とおしみないはくしゅを送ってやろう」

福富はそう言うと先にテントを出て行った。

東堂が、つぎに真波のかたにポンと手をおき、

「そういうことだ、真波、そのボサボサの頭はどうにか調《ととの》えていけ」

と言って、テントを出た。最後《さいご》に、新開が声をかけた。

「つかれたろ。食う？」

と、補給食《ほきゅうしょく》を真波にわたした。

「はい……」

真波はなみだをこぼしながら、ふるえる手で

それをうけ取った。

表彰台《ひょうしょうだい》の前は人だかりでごったがえしていた。長かったレースのグランドフィナーレだ。観客《かんきゃく》のだれもが、今決着したばかりの名レースにこうふんしていた。

「今年はすごかった」「いいレースだった」と口々《くちぐち》に感想《かんそう》を言い合っている。

やがてアナウンスがスピーカーからなりひびいた。

「ただ今より、表彰式を行います。インターハイ、ロードレース男子。三日目最終日《さいしゅうび》、総合優勝《そうごうゆうしょう》チームは壇上《だんじょう》に上がってください。三日間の闘《たたか》いをおえ……」

田所が、〝表彰台〟を見つめた。

「この表彰式のたった十五センチの高さの台、ここに上がりたかったんだよ。こいつがオレたちがけずって、しぼって、とった、最高の〝ゴール〟だ」

と小さな声でつぶやくと、ぶたいから少しだけだん差《さ》がある表彰台へ右足をのせようとした。

そのとき、一台の車がついて、医務室《いむしつ》にいた金城《きんじょう》と鳴子《なるこ》がおりてきた。二人とも、いためた体をほうたいでぐるぐるまきにしていた。

表彰式に間に合った。これで六人がそろった!

「……総合優勝《そうごうゆうしょう》は、千葉県代表《ちばけんだいひょう》、総北高校《そうほくこうこう》ーー‼」

黄色いジャージの六人が、表彰台《ひょうしょうだい》へ上がった。

んじゃ、せーーーの

「たった十五センチの最高《さいこう》の高みへ‼」

と、田所が言った。

六人は手をつないで、ピョンと表彰台に飛びのった。

「優勝者《ゆうしょうしゃ》には花たばと優勝カップがわたされます」という声を合図に、坂道がうけ取った。

六人全員が両手を上げてバンザイすると、

総北をしゅくふくする大歓声《だいかんせい》と、花ふぶきがまき起こった。

何度も何度もシャッターが切られた。

巻島《まきしま》はがらにもなく、なみだを流してないていた。坂道はわらっていた。

とほうもなく遠くに見えた富士山《ふじさん》を登ってきた。

友だちがいなかった少年は、ゴールではかけがえのないメンバーの一人となった。

ペダルをふんで、限界《げんかい》まで闘《たたか》った。

それがレースなんだ。それが生きているということなんだ。

さあ、また、つぎのレースへ!!

（おしまい）

C O L U M N

これでキミも自転車通《つう》!

015

最終回《さいしゅうかい》のテーマは自転車の旅。いつか家族や友だちと計画をたてててチャレンジしよう！　今回は作者の渡辺航《わたなべわたる》先生の2012年夏の自転車旅からピックアップ。

広島から長崎《ながさき》への4日間の自転車旅

「今年、出発地にえらんだのは広島。ここから、しまなみ海道《かいどう》を通り、四国、愛媛《えひめ》を横断《おうだん》し、九州に船でわたるというルート。今回は初《はつ》の4日間。はたして、ふるさとにぶじにたどりつくことができるか!?」と渡辺先生。

持ちもの

下のマンガのほかに水分と補給食《ほきゅうしょく》も。

ヘルメット／パンク修理《しゅうり》セット／デジカメ／けいたいの充電器《じゅうでんき》／小さい空気入れ／着がえのジャージ／せんたく用のせんざい／リュック／お金が入ったビニール袋《ぶくろ》／防寒着《ぼうかんぎ》　など

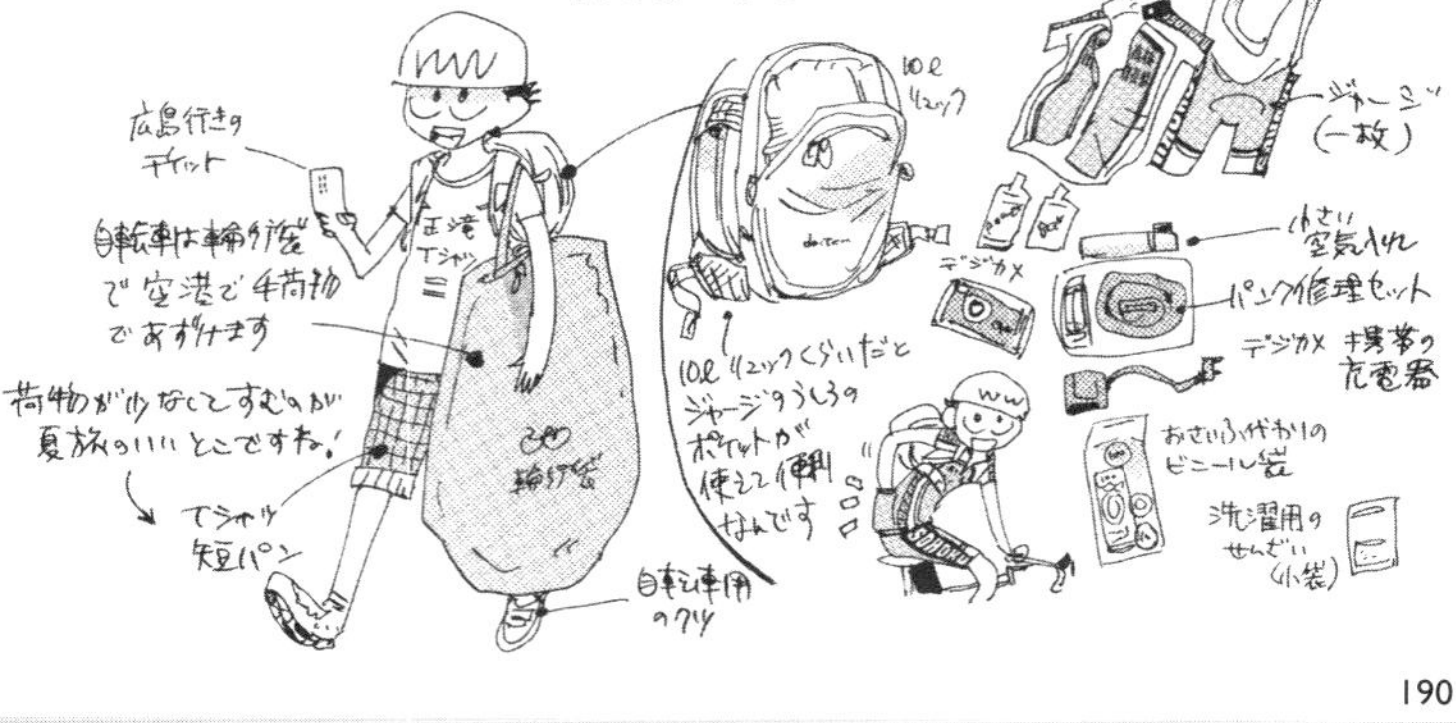

こんな計画

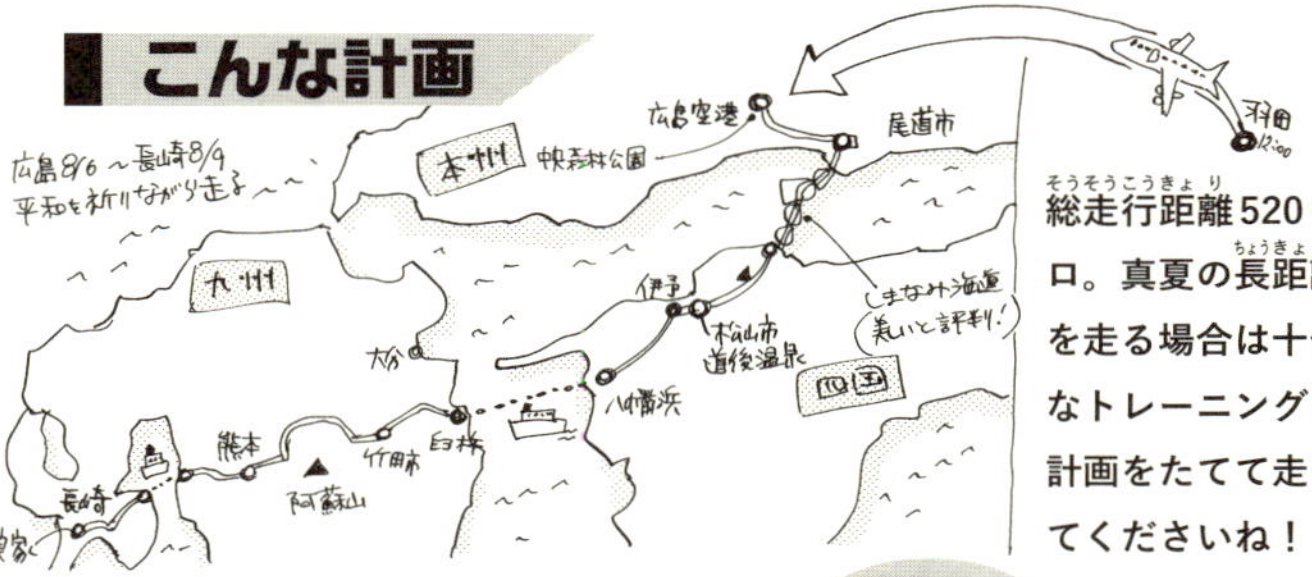

総走行距離《そうそうこうきょり》520キロ。真夏の長距離《ちょうきょり》を走る場合は十分なトレーニングと計画をたてて走ってくださいね！

1日目

空港で自転車を組み立てて出発。58キロ走る。

2日目

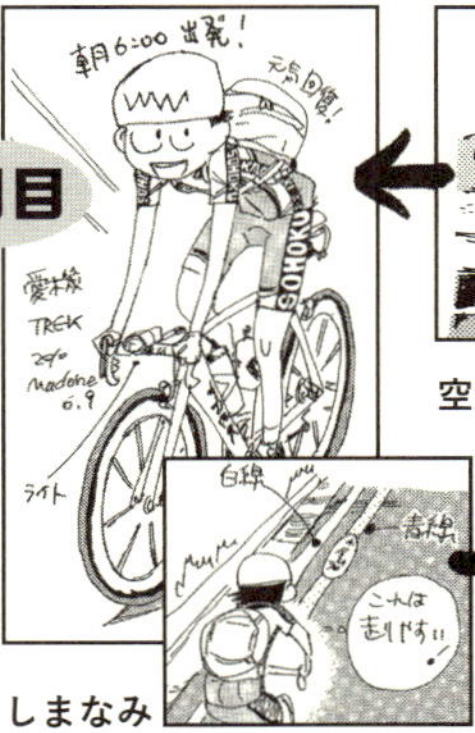

しまなみ海道を走って四国へ。175キロ走る。

3日目

船にのって九州へ。雷雨《らいう》の中189キロ走る。

4日目

フェリーにのる。98キロ走る。

[原作者]
渡辺 航（わたなべ　わたる）
漫画家。長崎県出身。MTBやロードバイクなど自転車をこよなく愛し、『弱虫ペダル』の連載を続けながら、多くのアマチュア自転車レースに参戦している。

[ノベライズ]
輔老 心（すけたけ　しん）
ライター。兵庫県出身。『スーパーパティシエ物語』『いやし犬まるこ』（いずれも岩崎書店）、絵本『はなげ小学生』（絵・塚本やすし／小学館）など著書多数。

AD 山田 武　　協力 渡邊まゆみ
編集協力 秋田書店

フォア文庫

小説《しょうせつ》 弱虫《よわむし》ペダル15

2024年6月30日　第1刷発行

原作者　渡辺 航
ノベライズ　輔老 心
発行者　小松崎敬子
発行所　株式会社 岩崎書店
〒112-0005 東京都文京区水道1-9-2
電話　03-3812-9131（営業）　03-3813-5526（編集）
00170-5-96822（振替）
印刷・製本所　三美印刷株式会社

ISBN978-4-265-06585-1　NDC913　173×113

岩崎書店ホームページ　https://www.iwasakishoten.co.jp
ご意見をお寄せください　info@iwasakishoten.co.jp
乱丁本・落丁本はお取り替えします。